W9-CON-951

MUSCULACIÓN FÁCIL

Felipe Calderón Simón

LIBSA

San Rafael, 4
28108 Alcobendas. Madrid
Tel. (34) 91 657 25 80
Fax (34) 91 657 25 83
e-mail: libsa@libsa.es
www.libsa.es

ISBN: 978-84-662-2538-0

COLABORACIÓN EN TEXTOS: Felipe Calderón Simón
DISEÑO DE CUBIERTA: Equipo de diseño LIBSA
MAQUETACIÓN: Prudencia Trillo y Equipo de maquetación LIBSA
DOCUMENTACIÓN: Archivo LIBSA
FOTOGRAFÍAS: Antonio Beas
ESTILISMO: Conchi Calderón Simón, Felipe Calderón Simón,
Miguel Ángel Barreda Niño y Sandra García Heras
INSTALACIONES: Gimnasio Washi

DL: M 6532-2012

CONTENIDO

PRESENTACIÓN DE LA OBRA

Nuestro estilo de vida actual hace que no dependamos de nuestras habilidades físicas para subsistir. Ya no necesitamos ir de caza para comer ni recolectar para conseguir los alimentos, basta con acudir al mercado o simplemente una llamada y nos lo traen a casa. Tampoco necesitamos andar para desplazarnos, ya que contamos con un gran número de medios de transporte.

Nuestra condición física se ve por estos motivos, relegada a un segundo plano y queda en manos de nuestra voluntad el que realicemos alguna actividad física o no, ya sea con fines competitivos, por puro ocio o simplemente por mejorar nuestra salud y calidad de vida. Son muchas las posibilidades que nos ofrece una sociedad desarrollada para practicar ejercicio. Muchas veces somos meros espectadores, pero otras somos los protagonistas y debemos serlo con las mayores garantías de éxito y de seguridad en la consecución de nuestros objetivos, para lo cual tenemos que elegir bien la actividad que vamos a realizar e informarnos lo suficiente sobre ella.

En *Musculación fácil* se plantean todas las técnicas básicas de musculación, en las que el deportista si cumple un programa de entrenamiento constante y equilibrado, en un período de seis meses podrá conseguir plena autonomía.

Para iniciar el entrenamiento, independientemente de cuál sea el nivel, es imprescindible una fase previa preparatoria para conseguir la máxima amplitud de movimiento y evitar las descompensaciones musculares que puede inducir a dolores o lesiones. En resumen, se trata de una fase preparatoria de todo el sistema muscular.

El entrenamiento está estructurado en cuatro niveles de dificultad y cada uno de ellos se ha identificado con un color:

1 El nivel 1: Nivel básico.

2-3 El nivel 2: Nivel de principiante.

4-5 El nivel 3: Nivel avanzado.

+ 6 El nivel 4: Nivel profesional.

Cada nivel lleva una breve introducción donde aparece un esquema detallado con la rutina a seguir:

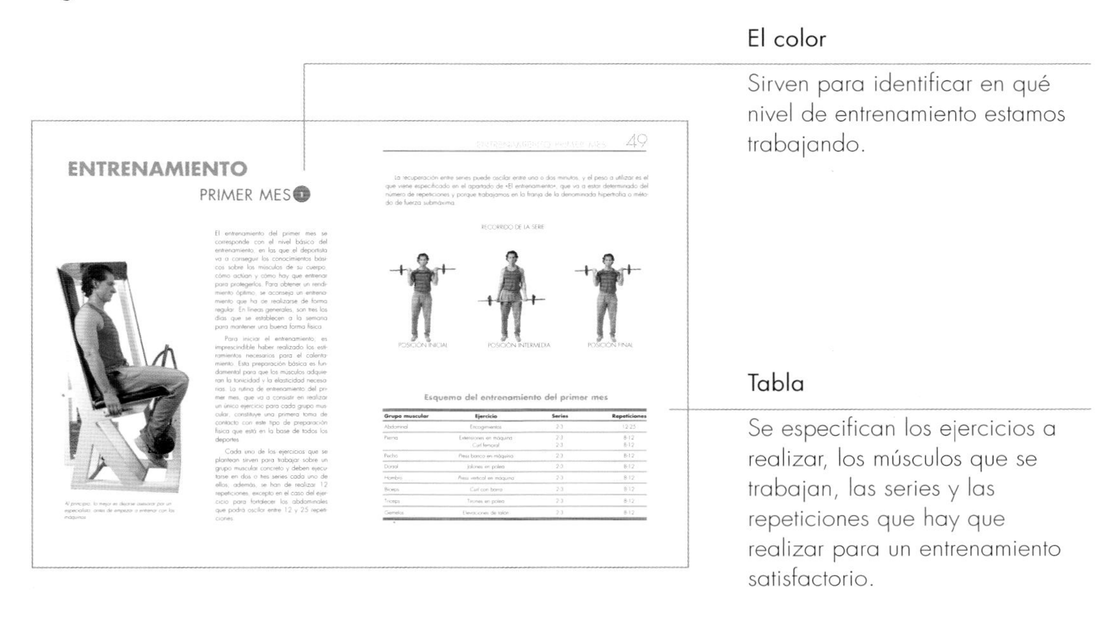

El color

Sirven para identificar en qué nivel de entrenamiento estamos trabajando.

Tabla

Se especifican los ejercicios a realizar, los músculos que se trabajan, las series y las repeticiones que hay que realizar para un entrenamiento satisfactorio.

En cada ejercicio aparecen detallados los siguientes elementos:

Gráfico

Localiza la zona muscular que se está entrenando.

Número

Organiza el paso a paso.

Cuadro

Detalles y aclaraciones para ejecutar bien el ejercicio.

Subtítulo

Para saber en qué rutina estamos y qué grupo muscular se ejercita con su práctica, se han destacado en negrita.

EL NIVEL 1

El color rojo representa el nivel básico.

En él se proponen los ejercicios básicos a realizar durante un período de un mes con unos tres días de entrenamiento por semana, imprescindibles para sentar las primeras bases. En este nivel se trabaja cada grupo muscular de forma individual.

Curl femoral, para ejercitar los isquiotibiales.

Se propone una rutina de entrenamiento estructurada por grupos musculares, en la que se va a trabajar especialmente sobre abdominales, piernas, pecho, dorsales, hombros, bíceps, tríceps y gemelos.

En este nivel de iniciación se realizarán ejercicios de encogimientos, extensiones en máquinas, *curl* femoral, *press* banca en máquina, jalones en polea, *press* vertical en máquina, *curl* con barra, tirones en polea y elevaciones de talón.

EL NIVEL 2

El color azul representa el nivel de principiante.

En este nivel se propone el entrenamiento a realizar en el segundo y el tercer mes de aprendizaje, en el que se pueden mantener los tres días de entrenamiento o ampliar a cuatro. En este nivel de principiante se trabajan cuatro grupos musculares a la vez, estructurados en dos rutinas, que hay practicar de forma alternativa, ya sean tres o cuatro los días de entrenamiento:

Elevaciones con mancuernas, para ejercitar el deltoides.

- La rutina A: Se trabajan los grupos musculares de piernas, hombros, tríceps y gemelos y se harán ejercicios de extensiones, prensa, *curl* femoral alterno, *press* tras nuca con barra, elevaciones laterales, *press* francés, fondos en paralelas, elevaciones a una pierna y elevaciones sentados.

- La rutina B: Se trabajan los grupos musculares dorsales, pecho, bíceps y abdominal y se harán ejercicios dominadas, remo Gironda, *press* de banca, aberturas con mancuernas, *curl* alterno con mancuernas de pie, *curl* en banco scott, *sit-ups* y elevaciones de piernas tumbados.

EL NIVEL 3

El color verde representa el nivel de avanzado.

En este nivel se propone el entrenamiento a realizar en el cuarto y el quinto mes de aprendizaje, en el que se pueden mantener los tres o cuatro días de entrenamiento que se haya decidido. En este nivel avanzado la división muscular aumenta y se han establecido tres rutinas que hay que realizar de forma alternativa:

Curl concentrado con mancuernas, para ejercitar el bíceps braquial.

- La rutina A: Se trabajan los grupos musculares de piernas, bíceps y gemelos y se harán ejercicios de extensiones, sentadilla, sentadilla Hack, *curl* femoral, *curl* con mancuernas sentado, *curl* concentrado con mancuernas, gemelos en la prensa y elevaciones de talones sentados.

- La rutina B: Se entrenan los grupos musculares pecho y dorsales y se harán ejercicios *press* superior en *multipower, press* declinado con barra, *peck-peck*, jalones al pecho, remo con mancuerna y peso muerto.

- La rutina C: Se trabajan los grupos musculares de hombro, tríceps y abdominales y se realizarán ejercicios de *press* militar, *press* con mancuerna sentado, pájaros, remo al cuello, tirones en polea, *press* cerrado en *multipower*, elevación a una mano, encogimientos con cuerdas y oblicuos tumbados.

EL NIVEL 4

El color morado representa el nivel de profesional.

Durante los niveles 1, 2 y 3 se han trabajo diferentes ejercicios y rutinas. A partir del cuarto nivel, ya en el sexto mes de entrenamiento el deportistas tiene que adquirir autonomía y aprender a varias las rutinas con el fin de evitar el estacamiento y adaptar el ejercicio a las necesidades personales. En este nivel de profesional se proponen tres ejemplos en los que se pueden ir variando las rutinas, aunque los posibilidades son infinitas.

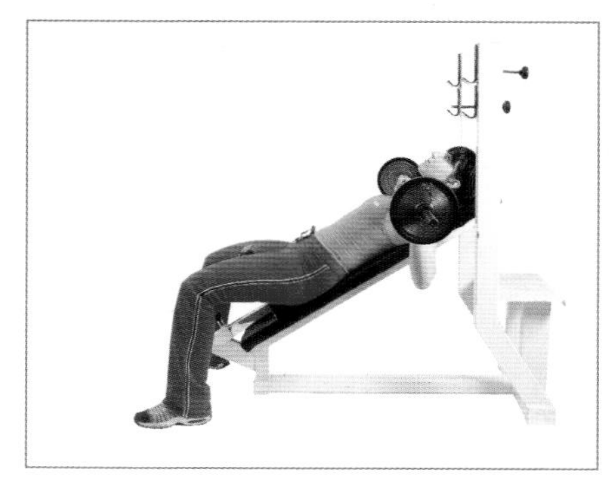

Press superior con barra, para ejercitar los pectorales.

Al final de la obra, el lector puede encontrar una reflexión sobre la importancia llevar una dieta sana y equilibrada, y especialmente cuando la persona realiza un sobreesfuerzo, debe evitar que se produzcan desajustes en el consumo de proteínas, grasas e hidratos de carbono, y favorecer los niveles necesarios de vitaminas y minerales.

LA MUSCULACIÓN

QUÉ ES LA MUSCULACIÓN

La musculación es una actividad al alcance de todos y que básicamente no es más que un conjunto de técnicas que, mediante el uso de cargas, van encaminadas a provocar un fenómeno de adaptación del cuerpo que se consigue en primer lugar por la regeneración y por la recuperación tras el entrenamiento, y posteriormente gracias a la supercompensación que es la capacidad de mejora que el músculo tiene con respecto al momento anterior al entrenamiento.

Dicho de otro modo, con la recuperación, los músculos vuelven a estar al nivel de fuerza y funcionalidad que tenían antes de entrenar; con la supercompensación superan ese nivel y se produce la mejora. Además, esto nos da una idea de la importancia de la recuperación.

La musculación o entrenamiento de fuerza encaja dentro de un concepto más amplio que denominamos *fitness*, neologismo que significa «el bienestar físico» y que engloba una serie de facetas como son las siguientes:

- El acondicionamiento cardiovascular.
- La flexibilidad.
- Los hábitos nutricionales.
- El mencionado entrenamiento de fuerza, que puede formar parte de la preparación física de los distintos deportes, hoy día, de la práctica totalidad de las disciplinas, o puede ser, de hecho es, una disciplina en sí misma que constituye un hábito saludable para quien la práctica, una herramienta útil en la recuperación de las lesiones, así como una vacuna para evitar numerosas enfermedades.

La musculación se puede practicar como una forma de ocio o simplemente para mejorar nuestra calidad de vida.

La musculación aplicada a los distintos deportes, sirve para mejorar el componente fuerza-potencia propios de cada especialidad, a veces mediante el trabajo del gesto deportivo concreto, si bien ese sería el tema de otro libro.En esta guía, el objetivo fundamental es servir de introducción al lector no iniciado en lo que es la musculación y darle una idea de lo que va a encontrarse si se decide ir tanto a un gimnasio tradicional como a un moderno centro de *fitness;* aunque como es obvio, también existe la posibilidad de montar nuestro propio gimnasio en casa.

QUIÉN PUEDE HACER MUSCULACIÓN

El segmento de la población que puede beneficiarse de la realización de un programa de musculación es muy amplio, teniendo en cuenta una serie de precauciones y consideraciones que serán objeto de estudio en cada caso.

Cualquier persona que vaya a iniciar un plan de ejercicio, debería realizarse un chequeo médico previo, para descartar patologías que desaconsejen o limiten su práctica. Después de una lesión será el fisioterapeuta quien prescriba el tratamiento a seguir. Una vez contemos con el visto bueno del médico, podremos asegurarnos de que cualquier persona, en principio, puede tener acceso a un programa de musculación.

Los niños a partir de 14 años, incluso antes, ya pueden entrenar con cargas, aunque con limitaciones en el peso a utilizar y evitando algunos ejercicios desaconsejados para su grado de desarrollo. Es más, en algunas ocasiones, los niños en sus juegos cotidianos soportan más cargas, y de forma menos controlada, que las que se utilizan en el gimnasio.

Existe un tópico muy extendido de que los niños que hacen pesas estancan su crecimiento, pero no es más que un mito que nació a raíz de los halterófilos de categorías infantiles de los países del Este europeo, que eran sometidos a severos tratamientos de esteroides que realmente provocaban este efecto. Por el contrario, los niños con este entrenamiento controlado pueden estimular su crecimiento y un desarrollo físico y muscular completo.

Las personas entre 18 y 65 años utilizan la musculación por diferentes motivos:

- Para mejorar el componente fuerza de su deporte favorito.
- Para mejorar estéticamente, ya que la musculación, a diferencia de otros deportes, permite trabajar específicamente cada parte del cuerpo, según nuestras prioridades, y aunque en esto la genética individual es implacable, siempre se puede mejorar.
- Para subir o bajar de peso.
- Para mejora la salud física y mental y, consecuentemente, la calidad de vida.

Los mayores de 65 años y sin límite de edad tienen en la musculación el aliado perfecto para detener e incluso revertir el proceso de envejecimiento, evitando la pérdida de fuerza así como la osteoporosis responsable de numerosas fracturas, y lo que es más importante, les permite mantener la movilidad suficiente para ser independientes.

ANATOMÍA
MUSCULAR

Los músculos son los órganos activos del aparato locomotor, es decir, son los que gracias a su capacidad de contraerse nos permiten movernos. Los órganos pasivos serían los huesos que forman el armazón y el complejo entramado de palancas sobre los que actúan los más de 600 músculos de que disponemos.

TIPOS DE MÚSCULOS

En el cuerpo humano existen diferentes tipos de músculos, que se pueden clasificar en los siguientes tipos:

- Los músculos estriados o voluntarios. Se trata de todos los músculos esqueléticos, y son los que van a estar presentes en la explicación de todos los ejercicios del entrenamiento.
- Los músculos lisos o involuntarios. El ejemplo más sencillo es el de los músculos intestinales, que mediante movimientos ondulantes posibilitan el tránsito intestinal sin que nos demos cuenta.
- Mención aparte merece el músculo cardiaco que a pesar de ser estriado es involuntario.

LA FORMA DE LOS MÚSCULOS

Según su naturaleza y función, existen diferentes formas de músculos.

A) Atendiendo al número de vientres o cabezas:

- Los músculos de una sola cabeza como el coracobraquial, que participa en la aducción del brazo.
- Los músculos de dos cabezas como el bíceps femoral, que flexiona la rodilla y extiende la cadera.
- Los músculos de tres cabezas como el tríceps braquial, que extiende el codo.
- Los músculos de cuatro como el cuadríceps femoral, que extiende la rodilla.

B) Atendiendo a la disposición de sus fibras:

- Los músculos fusiformes como el bíceps braquial.
- Los músculos penniformes como el romboides.

- Los músculos bipenniformes como los vastos interno y externo del cuadríceps.
- Los músculos circulares como el bucinador que se sitúa alrededor de la boca.

C) Atendiendo a su tamaño:

- Los músculos muy pequeños como los interdigitales de los dedos de los pies, que apenas miden unos centímetros.
- Los músculos más grandes y fuertes como el gran dorsal.

D) Atendiendo al número de articulaciones que cruzan:

- Los músculos monoarticulares que cruzan una sola articulación como el pectoral mayor, que cruza la articulación del hombro.
- Los músculos biarticulares que cruzan dos como el recto femoral, que atraviesa las articulaciones de la cadera y la rodilla.

En general, todos los músculos están unidos al menos a dos huesos, excepto algunos músculos faciales o los esfínteres.

ORIGEN E INSERCIÓN

Para estudiar los movimientos de los músculos siempre se considera un punto de origen y uno de inserción. Estos puntos de «anclaje» a los huesos se llevan a cabo a través de los tendones, que no son más que la prolongación de las aponeurosis o envoltorios de los músculos que permiten a éstos deslizarse a los unos sobre los otros. A veces la unión se hace por un haz tendinoso.

No hay que confundir los tendones con los ligamentos, ya que los primeros unen a un músculo con uno o más huesos, mientras que los ligamentos unen huesos entre sí.

CÓMO FUNCIONA EL MÚSCULO

Si vemos un músculo seccionado, descubrimos que está formado por haces de fibras tan largos como el propio músculo, y éstas a su vez se componen de otras más pequeñas que se llaman miofibrillas de igual longitud que las fibras.

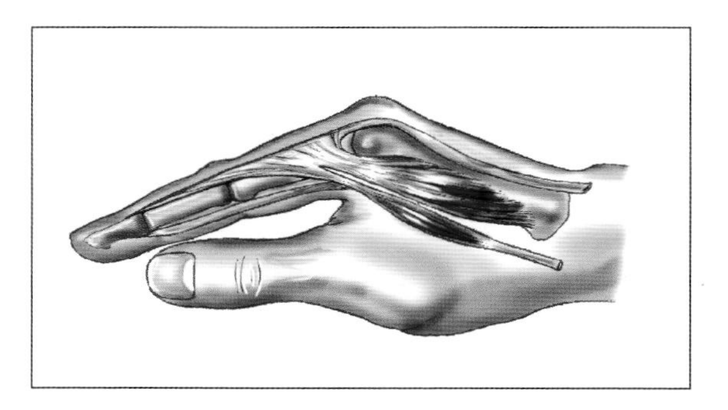

La mano está articulada por un gran número de pequeños músculos.

A nivel microscópico, tenemos el sarcomero, que es la unidad funcional más pequeña en que se divide la miofibrilla, y

Un entrenamiento progresivo y gradual nos permitirá la realización de ejercicios en los que se combinan varios grupos musculares.

en el encontramos los filamentos contráctiles de actina y miosina que son dos proteínas que se deslizan una sobre otra al recibir el impulso nervioso produciendo la contracción.

TIPOS DE FIBRAS

Se puede afirmar, que existen tres tipos de fibras musculares, aunque algunos autores subdividan varios de estos tipos.

Hace años se hablaba sólo de fibras blancas o de contracción rápida y fibras rojas o de contracción lenta. Actualmente se acepta que hay otras fibras intermedias entre los dos tipos anteriores y que serían susceptibles de transformarse mediante el entrenamiento en uno u otro tipo, pero esto es algo que todavía no está demostrado.

Lo que sí se puede asegurar es que el predominio de uno u otro tipo de fibras determinará el que una persona sea velocista o fondista, por ejemplo. En el entrenamiento con pesas, aquellos individuos con predominio de fibras blancas, o lo que es lo mismo, de contracción rápida, ganarán masa muscular y fuerza con más facilidad, ya que estas fibras se hipertrofian antes que las rojas; por la misma razón, aquellos con predominio de fibras rojas o lentas serán más resistentes.

En el entrenamiento con pesas pueden ganar masa muscular las personas que tienen predominio de fibras blancas.

TIPOS DE CONTRACCIÓN

Aunque en esto también existen muchos tipos de contracción, nos vamos a centrar en tres tipos, básicamente:

- La contracción concéntrica es aquella en que los puntos de origen y la inserción del músculo se aproximan; por tanto el músculo se acorta.
- La contracción excéntrica es en la que los puntos de origen y las inserciones se alejan. Se da en la fase negativa de un ejercicio cando se hace a la velocidad adecuada.

  Para entenderlo veamos un ejemplo:

  Cuando hacemos el *press* de banca con la barra arriba, y con los brazos estirados comenzamos a descender el peso controladamente hacia el pecho, el músculo pectoral está ejecutando una contracción excéntrica. De ahí la importancia de mover el peso lentamente, porque de lo contrario la fase negativa o excéntrica sería inexistente.
- La contracción isométrica es aquella en la que no hay variación en la longitud del músculo.

Por ejemplo, cuando sujetamos un peso ante nosotros con el brazo flexionado, el bíceps en esta caso está trabajando isométricamente. Hay todo un entrenamiento basado en la isometría, pero no es una práctica que deba usarse en los primeros seis meses de entrenamiento.

FUNCIONAMIENTO DE LOS MÚSCULOS

Un músculo nunca actúa solo, ya que no se puede aislar totalmente ninguno.

En cada movimiento existe un equilibrio entre músculos agonistas, antagonistas y estabilizadores.

- Los músculos agonistas son los que se contraen concéntricamente.
- Los músculos antagonistas son los que se relajan o se contraen excéntricamente.
- Los músculos estabilizadores son los que tienen como función fijar las articulaciones o los huesos adyacentes para permitir el trabajo de los anteriores.

En el entrenamiento muscular no se puede aislar totalmente el trabajo sobre un sólo músculo.

Un ejemplo sencillo lo tenemos al hacer un *curl* de bíceps. El músculo agonista sería el propio bíceps, el antagonista sería el tríceps y los estabilizadores, en este caso del húmero y de la escápula, serían el pectoral mayor, el dorsal ancho, los redondos mayor y menor, el coracobraquial, el subescapular, el infraespinoso, los deltoides y el romboide, principalmente. Pero además, veríamos que la muñeca también necesita ser estabilizada y en ello trabajan los flexores de la muñeca y los dedos junto con los supinadores del antebrazo. Como vemos, una larga cadena que nos da idea de lo complejo que es cada movimiento.

Para ver la diferencia de cuando el músculo antagonista se relaja o por el contrario se contrae excéntricamente, tenemos también un ejemplo sencillo. Cuando hacemos extensiones de rodilla en la máquina, el músculo agonista es el grupo del cuadríceps que se contrae, y el antagonista es el grupo del bíceps femoral que se relaja; pero cuando damos una patada a un balón, el agonista sigue siendo el cuadríceps y el antagonista también el bíceps femoral, si bien en este caso se contrae excéntricamente para desacelerar el movimiento de la pierna, ya que de lo contrario nos lesionaría la rodilla.

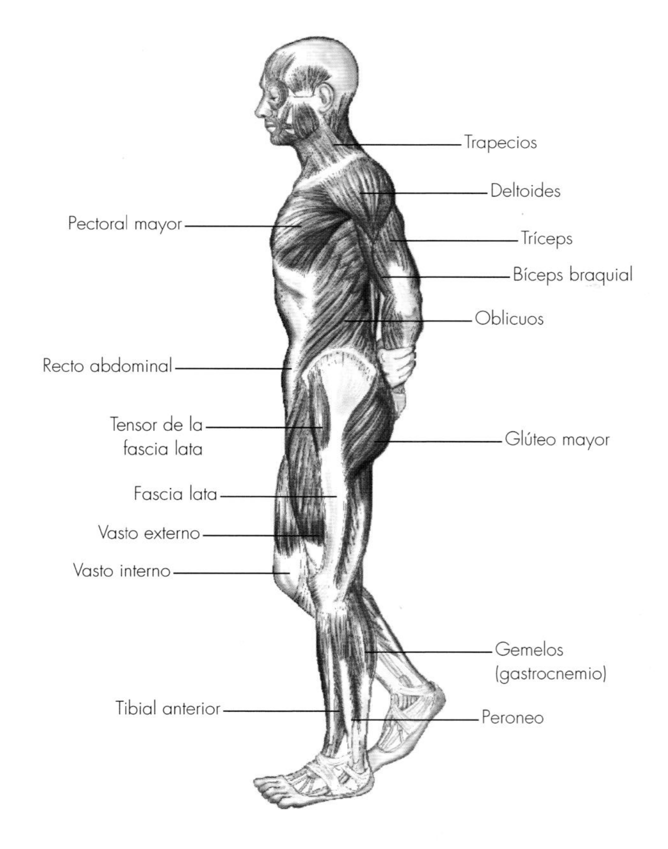

VISTA LATERAL

17

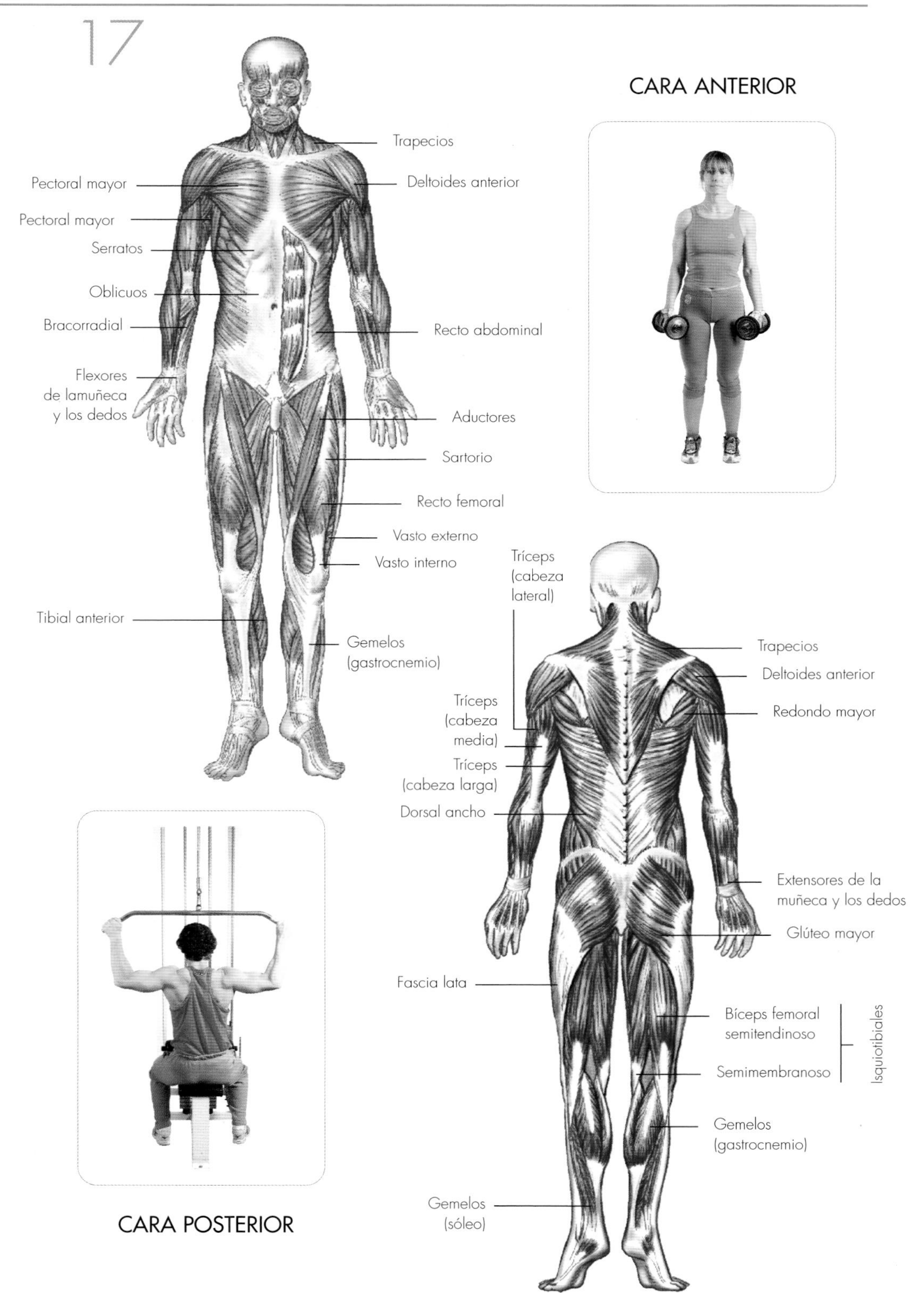
CARA ANTERIOR
Trapecios
Pectoral mayor
Deltoides anterior
Pectoral mayor
Serratos
Oblicuos
Bracorradial
Recto abdominal
Flexores
de lamuñeca
y los dedos
Aductores
Sartorio
Recto femoral
Vasto externo
Vasto interno
Tibial anterior
Gemelos
(gastrocnemio)
Tríceps
(cabeza
lateral)
Trapecios
Deltoides anterior
Tríceps
(cabeza
media)
Redondo mayor
Tríceps
(cabeza larga)
Dorsal ancho
Extensores de la
muñeca y los dedos
Glúteo mayor
Fascia lata
Bíceps femoral
semitendinoso
Semimembranoso
Isquiotibiales
Gemelos
(gastrocnemio)
Gemelos
(sóleo)
CARA POSTERIOR

LAS BASES DEL ENTRENAMIENTO

La musculación es un entrenamiento de la fuerza, que puede servir de base para la práctica de otros deportes.

EL CALENTAMIENTO

Antes de comenzar el entrenamiento con pesas es fundamental realizar un calentamiento de no menos de 15 minutos. A menudo vamos con el tiempo justo al gimnasio y nos saltamos esta parte por considerarla poco importante. Es frecuente ver personas que nada más llegar cogen el primer aparato que se encuentran y suelen ser las mismas que al final se saltan también el estiramiento. Esta mala costumbre sólo nos acarreará problemas como tendinitis, dolores articulares o incluso un desgarro.

Los estiramientos, que veremos más adelante, se realizan más intensamente al final del entrenamiento, en caliente, pero también pueden formar parte del calentamiento de manera más suave.

El calentamiento en su conjunto debe ser predominantemente aeróbico, y podemos dividirlo básicamente en dos fases:

- Fase general. Dentro de la fase general, podemos establecer una subdivisión tripartita:

a) La preparación aeróbica. En esta fase, diez minutos de bicicleta estática, remo, carrera en la cinta de correr o subir escaleras en el simulador serán suficientes. A ritmo suave, no se trata de disparar las pulsaciones.

b) Los estiramientos. Tal y como ya hemos afirmado antes, deben ser suaves y afectar a los grandes grupos musculares: cuadríceps, espalda, pectorales, hombros e isquiotibiales. Esta preparación no nos llevará más de dos o tres minutos.

c) La calistenia. Se entiende por tal, todos los movimientos articulares en general, ligeros impulsos, rotaciones de cadera, círculos con los brazos, algunas cuclillas, etc. Los movimientos calisténicos implican contracciones musculares y, en definitiva, un incremento de la temperatura. Esta parte de entrenamiento tampoco nos ocupará más de dos o tres minutos.

A partir de este momento, ya estaremos listos para pasar al calentamiento específico.

- Fase específica. Consiste en realizar una o dos series del ejercicio que vamos a realizar, pero con aproximadamente el 50 por ciento del peso que vayamos a utilizar en la primera serie.

Cuando realicemos más de un ejercicio para el mismo grupo muscular, como es el caso de las rutinas, que veremos a partir del segundo mes en adelante, sólo es necesario hacer el calentamiento específico para el primer ejercicio.

LOS EFECTOS DEL CALENTAMIENTO

1. Se produce un incremento de la temperatura muscular y corporal y, en consecuencia, del metabolismo energético.
2. Un buen calentamiento retrasa la acumulación del ácido láctico y, por lo tanto, retrasa la aparición de la fatiga.
3. Los músculos se hacen más elásticos y con ello hay menos riesgo de lesiones, mientras que las articulaciones mejoran su lubricación al hacerse más fluido el líquido sinovial que hay en ellas.
4. Se produce una activación del sistema cardiovascular y respiratorio, con lo que mejora el intercambio gaseoso o, lo que es lo mismo, más cantidad de oxígeno en los músculos. Un esfuerzo brusco y en frío puede provocar un flujo de sangre repentino hacia el corazón que puede ser peligroso. Con el calentamiento disminuye este riesgo.
5. Psicológicamente, el calentamiento también nos ayuda porque nos predispone positivamente para el esfuerzo. Para nuestra mente es más cómodo y asimilable ir de forma progresiva. No pocas veces llegamos al gimnasio sin ganas de hacer nada y después de un buen calentamiento vemos las cosas de otra manera, llegando incluso a ser uno de los días que mejor entrenamos.

Los estiramientos que afectan a los grandes grupos musculares son imprescindibles en el calentamiento en su fase general.

En principio, no tiene por qué ser distinto el entrenamiento de hombres y el de mujeres; aunque una mujer no se muscularán tan fácilmente como él, y será debido a la mayor presencia de estrógenos en su cuerpo.

Para finalizar, lo ideal después del calentamiento y del entrenamiento, si sobra tiempo, sería hacer un enfriamiento o vuelta a la calma, justo antes de los estiramientos del final. El enfriamiento consiste en disminuir la intensidad del entrenamiento (que puede haber sido alta) poco a poco para evitar bajadas bruscas de tensión. Una buena idea para concluir, sería dedicar cinco minutos a un pedaleo suave.

EL PESO QUE HAY QUE UTILIZAR EN EL ENTRENAMIENTO

Hace algunos años era frecuente que al apuntarse al gimnasio nos hicieran un test de fuerza para averiguar cuál era el peso máximo con el que podíamos hacer una sola repetición en cada ejercicio. Una vez obtenida esta repetición máxima (R.M.), teníamos ya nuestro 100 por cien en cada aparato, y a partir de aquí se calculaban los porcentajes con los que trabajaríamos en cada serie. Esta era una práctica potencialmente peligrosa, ya que el principiante en su afán de quedar bien, se esforzaba en exceso y no usaba la técnica necesaria en los movimientos, con lo que el riesgo de lesión era alto.

Algunos autores proponen tests más o menos sencillos para hacer este cálculo sin necesidad de hacer una repetición máxima, de manera que a cada número de repeticiones corresponde un porcentaje determinado de ese 100 por cien. Con pequeñas variaciones, todos coinciden en que para hacer entre ocho y 12 repeticiones con el mayor peso posible, estaremos utilizando entre el 65 y el 75 por ciento de nuestra máxima para una repetición.

Se supone que entre estas ocho o 12 repeticiones se ejecutan en cualquier caso hasta el fallo muscular, es decir, el punto en el que no podemos hacer una repetición más.

Por tanto, los pesos a utilizar durante los primeros seis meses van a ir en función de las repeticiones y hemos elegido entre ocho y 12 porque en esta franja trabajamos lo que se llama hipertrofia o método de fuerza submáxima.

Hay varias manifestaciones de la fuerza, como la fuerza máxima que comentamos antes, la fuerza explosiva, la fuerza dinámica, la fuerza de resistencia, etc.; cada uno de estos tipos se entrena de distinta forma, pero en ningún caso procede entrenarlos en los primeros meses, y menos aún cuando algunas de estas clases de fuerza se entrenan solamente aplicadas a deportes concretos.

LA HIPERTROFIA

Como hemos dicho, entre ocho y 12 repeticiones se consigue sobre todo la hipertrofia. Estos son sus componentes:

- Un aumento considerable de la sección transversal de las fibras musculares.
- Un aumento del tejido conectivo, que es aquel que no es contráctil y representa aproximadamente el 12 por ciento del músculo.
- Un aumento de la vascularización o la formación de nuevos capilares.
- Una mejora del metabolismo muscular.

El predominio de la testosterona en el hombre, acelera la síntesis proteica del músculo.

El entrenamiento con máquinas es una fórmula para regular el peso y definir músculo.

EL VOLUMEN O LA DEFINICIÓN

Esta terminología también era frecuente en los gimnasios hace unos años, cuando la forma de entrenar de los culturistas de competición se extrapolaba al resto de los usuarios del gimnasio, hoy denominados «población fitness». Así, era corriente que quien a llegara al gimnasio sobrepasado de peso, se le pusiese a hacer definición, directamente, con muchas repeticiones y poco descanso entre series. Esto en la práctica no funciona así, y vemos que el mismo tipo de entrenamiento, y nos seguimos refiriendo al de fuerza submáxima, sirve para normalizar el peso, es decir, ayudará a coger peso al que está delgado y lo hará perder al que le sobran algunos kilos.

No se trata de desacreditar el entrenamiento de definición o, mejor llamado, de fuerza resistencia, pero se necesita cierta base para llevarlo a cabo y preferimos hacerlo entre el sexto y el octavo mes de entrenamiento y en ciclos cortos, tal y como veremos en la sección de «Los sistemas de entrenamiento avanzado».

La diferencia entre el entrenamiento de quien quiere ganar peso y quien quiere perderlo, estará más en la cantidad de aerobios (que veremos más adelante) y en la dieta que en los pesos a utilizar.

¿QUÉ PESO DEBEN UTILIZAR LOS NIÑOS?

Habría que empezar por saber a qué edad puede un niño entrenar con pesas. Este es un tema controvertido sobre el que aún se especula, pero si nos fijamos en los juegos de los niños, podemos tener la respuesta. Cuando un niño sube a otro de su mismo peso a burro o cuando juegan a la carretilla, ¿no soportan más peso sus músculos y articulaciones que en cualquier ejercicio de musculación?

Cuando los niños realizan cualquier deporte de competición, ya sea atletismo, fútbol o natación, ¿no soportan sus músculos y huesos más tensión? Y no digamos si el deporte es asimétrico, como algunos de raqueta en los que el riesgo de desviación de columna es alto. Si además se obliga al niño a dar un peso determinado, como en la gimnasia rítmica, además del daño psicológico, se puede comprometer su crecimiento.

Viendo esto, creemos que la pregunta está contestada, y podemos concluir que un niño podría entrenar con pesas a partir de los ocho o 10 años. Pero la cuestión no es si el niño está físicamente preparado para este tipo de entrenamiento, sino si lo está psicológicamente, es decir, si es útil para el niño un trabajo que requiere una disciplina y una concentración importantes y que tiene un carácter poco lúdico; probablemente la respuesta sea no, ya que a estas edades el factor juego en el deporte es tan importante como el deporte en sí mismo. Por ello, una buena edad para iniciarse son los 14-15 años, en plena adolescencia, pues en este período además la actividad anabólica es muy fuerte debido a las hormonas y con el entrenamiento con pesas se estimula el crecimiento y el desarrollo es más completo.

La técnica es muy importante a cualquier edad, pero en esta etapa aún más, pues las «manías» adoptadas aquí luego son más difíciles de corregir; además controlaremos la curiosidad del adolescente que siempre quiere saber cuánto peso es capaz de mover y esto le lleva a usar más peso del aconsejable. Lo ideal es que no utilice cargas superiores al 70 por ciento y para ello basta con prohibirle hacer menos de 12 repeticiones por serie, y además vigilaremos los *press* de hombros por encima de la cabeza para evitar excesiva presión sobre los discos intervertebrales.

La musculación es la base de cualquier deporte y se puede practicar desde la adolescencia.

La distribución de grasa en el organismo es distinta en el hombre y en la mujer; en el caso de ésta, se concentra en el vientre y en las caderas.

¿QUÉ PESO DEBEN UTILIZAR LOS MAYORES?

El concepto de persona mayor es muy variable, pues podemos encontrar a personas de 65 años en mejor estado de forma que algunas de 50; en cualquier caso y para generalizar, hablaremos de mayores a partir de los 50 años en la práctica de este deporte.

Como ya vimos en la introducción, el entrenamiento de fuerza o la musculación es de gran utilidad para las personas mayores, porque les permite contrarrestar algunos de los problemas característicos del paso del tiempo como son la pérdida de masa muscular, la disminución de la fuerza y la osteoporosis.

En cuanto al peso que deban utilizar, dependerá de su estado general que puede ir desde el físicamente muy en forma al físicamente dependiente. En el primer caso, la carga puede llegar al 80 por ciento, mientras que en los últimos no sobrepasará el 30 por ciento y el objetivo será conseguir más movilidad para la vida diaria.

Por otro lado habría que considerar las enfermedades más frecuentes y en cada caso se recomiendan distintas cargas:

- Para personas con problemas de hipertensión: Se utilizarán entre el 40 y el 50 por ciento, evitando los isométricos y retener el aire. Han de tener un cuidado especial con los agarres, que no deben ser fuertes.
- Los pacientes con EPOC (Enfermedad Pulmonar Obstructiva Crónica) utilizarán cargas de menos del 50 por ciento y muchas repeticiones. Una posición muy recomendada es la de tendido supino, que les facilitará notablemente la respiración.
- Para los enfermos de diabetes se utilizarán, también, pesos ligeros y muchas repeticiones, lo que les proporcionará beneficios cardiovasculares y metabólicos.
- Para las personas con problemas de obesidad, las cargas pueden ser altas de hasta el 70 por ciento. Se pondrán en práctica ejercicios que impliquen grandes grupos musculares y no se recomiendan de modo alguno ejercicios con su propio peso.
- Para los que padecen osteoporosis se recomienda combinar aerobios y musculación; las cargas estarán entre el 40 y el 50 por ciento y sí se recomiendan los ejercicios con el peso corporal.

- En caso de artritis se deben evitar los movimientos que produzcan dolor, las cargas deben ser de alrededor del 50 por ciento y en este caso sí se pueden utilizar los isométricos.

EL ENTRENAMIENTO PARA HOMBRES Y PARA MUJERES

A grandes rasgos, el entrenamiento de hombres y de mujeres no tiene por qué ser distinto.

La preocupación generalizada de las mujeres que empiezan un programa de musculación es si van a «coger» demasiado músculo, y ese temor las lleva a no utilizar a menudo el peso suficiente para modelar su cuerpo convenientemente.

Lo cierto es que ganar masa muscular no es tan sencillo y menos aún en el caso de las mujeres y esto es debido principalmente a las hormonas. Hombres y mujeres tenemos circulando por nuestro cuerpo tanto testosterona como estrógenos, además de otras hormonas.

En el caso de los hombres se produce un claro predominio de la testosterona, hormona masculina, que es la responsable de sus características secundarias, como son el agravamiento de la voz, el vello y una mayor masa muscular, ya que esta hormona es anabólica por excelencia y acelera la síntesis proteica en el músculo.

En las mujeres predominan los estrógenos, que son los que determinan su femineidad como son las caderas más anchas, el desarrollo del pecho, etc. Por esta razón, a no ser que una mujer posea unos niveles anormalmente altos de testosterona o tome esteroides anabolizantes, no se musculará fácilmente y por ello puede entrenar sin miedo y con el peso suficiente para conseguir un cuerpo duro y bien moldeado sin adquirir en absoluto un aspecto masculino.

El porcentaje de grasas y su distribución también es distinto en hombres y en mujeres, estando alrededor del 15 por ciento en ellos y del 24 por ciento en ellas. Los atletas masculinos pueden bajar este porcentaje hasta el ocho o 10 por ciento y los femeninos alrededor del 14 por ciento. En ambos casos, el mejorar la masa muscular magra hace bajar los porcentajes de grasa, pero en esto las mujeres deben tener cuidado, porque una reducción por debajo del 10 por ciento les puede provocar amenorrea o reti-

La musculación es un proceso largo, cuya evolución está determinada por la presencia de testosterona en el hombre y de estrógenos en la mujer.

Los aparatos ofrecen más seguridad que el levantamiento de pesos en libre, especialmente a los neófitos.

rada de la menstruación. Esto parece deberse a una respuesta de la naturaleza que interpreta que la mujer excesivamente delgada por el ejercicio y la dieta, está en realidad atravesando un período de hambre y no está en condiciones de procrear con las garantías suficientes de supervivencia para ella y para el nuevo ser.

El distinto patrón de distribución de las grasas, en el tronco principalmente en los hombres y en nalgas y caderas en las mujeres, puede llevarles también a entrenar en exceso estas zonas, lo cual es un error, porque la grasa no puede quemarse localmente; será el balance entre aquello que comemos y lo que a la vez vamos gastando, lo que la irá eliminado proporcionalmente.

La fórmula para que este balance sea negativo es un equilibrio entre dieta y ejercicio. Con la musculación en concreto se eleva la tasa metabólica al aumentar la masa muscular magra, es decir, gastamos más incluso en reposo y con los aeróbicos potenciamos este efecto, mejor si los hacemos por la mañana porque así mantenemos el metabolismo acelerado durante más horas a lo largo del día. Si los hacemos por la noche nos costará más conciliar el sueño y al dormirnos el metabolismo se ralentizará.

LA RESPIRACIÓN EN EL ENTRENAMIENTO

A veces leemos en algunas revistas cómo debemos respirar al hacer pesas. Nos aconsejan, por ejemplo, inspirar al bajar el peso en el *press* de banca y expirar al subirlo. Lo cierto es que cuando hablamos de cierta intensidad en el entrenamiento, esta forma de respiración rítmica no es posible, y cualquiera que haya trabajado con intensidades superiores al 70 o el 80 por ciento sabe de qué estamos hablando.

Cuando la carga es importante tenemos que retener el aire para mantener la presión intratorácica suficiente para ofrecer a los músculos una base sólida sobre la que trabajar, y para comprobarlo basta con hacer una sencilla prueba: soltad el aire cuando estéis a mitad del recorrido en el *press* de banca; lo más probable es que el peso se nos venga abajo. Una vez superado el punto crítico, casi al final del movimiento, podemos exhalar sin problemas.

En líneas generales, lo que se recomienda es respirar con naturalidad, el instinto nos dirá cómo hacerlo. Si no pensamos en la respiración probablemente lo estaremos haciendo bien. En esto, como en todo, hay excepciones: los hipertensos o los enfermos respiratorios (EPOC) no deben retener el aire, pero como vimos con anterioridad, las cargas con las que deben trabajar son bajas y les permite no hacerlo.

EL PESO LIBRE O LOS APARATOS

Actualmente encontramos en los gimnasios un arsenal de modernas máquinas que sirven prácticamente para casi cualquier movimiento imaginable, pero al mismo tiempo seguimos encontrando a veces en un rincón barras, discos y mancuernas. Algunos aparatos paradójicamente intentan imitar lo más posible al peso libre.

En algunas ocasiones, los aparatos simulan al peso libre y tienen más recorrido a la hora de aislar un movimiento específico del músculo.

No se trata aquí de elegir qué es mejor, los aparatos o los pesos libres, pues cada uno, según las circunstancias, tiene sus ventajas y sus inconvenientes.

Los aparatos permiten un movimiento más seguro para el neófito, sin riesgos de accidentes. Son muy aconsejables después de una lesión, ya que durante la rehabilitación nos permiten elegir el rango de recorrido preciso y aislar mejor el movimiento que nos convenga.

Existen también las llamadas máquinas de palanca convergentes que permiten un movimiento casi idéntico al que haríamos con el peso libre, pero con la comodidad que proporciona una máquina, permitiendo aunar las ventajas de los dos tipos de material.

Para las personas mayores el uso de los aparatos es especialmente seguro porque con ellos no necesitan mantener el equilibrio que es una cualidad que pueden tener mermada.

Por su parte, los pesos libres tienen a favor el permitir por lo general mayores recorridos y hacer que el movimiento sea más natural y más completo; por decirlo de una forma gráfica, se trata de una magnitud más tridimensional, ya que no sólo movemos el peso arriba y abajo, sino que además tenemos que equilibrarlo y mantenerlo estable durante todo el recorrido y esto supone un trabajo adicional. Por tanto, habría que decir que un buen entrenamiento debe constar de los dos tipos de ejercicios para ser completo. La variedad de rutinas, ejercicios y materiales utilizados son un poco la clave para el mejor desarrollo.

ORDEN DE LOS EJERCICIOS EN EL ENTRENAMIENTO

En esto como en otras muchas cosas, cada entrenador tiene su método y probablemente todos, en mayor o menor medida, funcionen. Tradicionalmente siempre se ha empezado por los grupos musculares más grandes y se ha terminado por los más pequeños. Por ejemplo, si un día tengo que hacer pecho y bíceps, empezaré con el pecho haciendo los tres o cuatro ejercicios que tengo previstos y luego seguiré con los bíceps.

Durante los últimos tiempos, se escuchan voces que dicen que se debe entrenar primero el músculo más pequeño y luego el más grande, para ir así de menor a mayor intensidad de forma gradual.

Un ejercicio de musculación moderado y controlado por un especialista puede ser la clave para la recuperación de muchas lesiones.

Por la misma razón siempre se ha dicho que no debemos hacer tríceps antes del pecho ya que en cualquier press los tríceps participan activamente en la extensión del codo y si están cansados nos costará más mover el peso. Pero otras tendencias afirman que precisamente entrenando el tríceps primero conseguimos que el pectoral asuma la mayor parte del trabajo.

Cuando hablamos de qué orden seguir dentro de un grupo muscular determinado, también se suele empezar por los ejercicios más pesados o

No existe un orden ideal para la realización de ejercicios, sino que cada persona tiene que adaptar el entrenamiento a su medida.

compuestos y terminar con los ejercicios de aislamiento. Por poner un ejemplo fácil, si nos concentramos en el pecho, empezaríamos por los *press* (véanse los ejercicios en los entrenamientos), un *press* de banca y un *press* superior en el *multipower* por ejemplo, que son dos ejercicios compuestos en los que se puede mover bastante peso, y a continuación haríamos aberturas que es el ejercicio de aislamiento. Pero hay quien prefiere hacerlo al revés, utilizando las aberturas como preagotamiento para no necesitar utilizar tanto peso en los *press* y conseguir el mismo efecto.

Este es un tema muy controvertido, y lo más aconsejable es que cada persona experimente y con la práctica llegue a sus propias conclusiones.

LOS AERÓBICOS Y EL ENTRENAMIENTO

Como ya vimos con anterioridad en la introducción, uno de los componentes del *fitness*, entendido como bienestar físico, además de la fuerza, la flexibilidad y los hábitos nutricionales, es el acondicionamiento cardiovascular que conseguimos mediante los aeróbicos. La manera más sencilla de hacer aeróbicos es la carrera, pero en el gimnasio tenemos también todo tipo de aparatos para hacerlos, como la bicicleta estática, el remo, las elípticas o los simuladores de escaleras.

QUÉ SON EXACTAMENTE LOS AERÓBICOS

Para hacer cualquier movimiento necesitamos energía. Esta energía la obtendremos de lo que comemos, principalmente de los carbohidratos, transformándolos en glucosa, de las grasas en forma de triglicéridos y, por último, de las proteínas «partidas» en aminoácidos.

El combustible preferido por el cuerpo es la glucosa que se almacena en los músculos y en el hígado en forma de glucógeno. A medida que el glucógeno se va agotando vamos utilizando progresivamente las grasas y en casos extremos, en ejercicios de muy larga duración pueden utilizarse los aminoácidos en lo que se llama depleción de proteínas.

En cualquiera de los casos, si la intensidad del ejercicio es moderada, la combustión de estos substratos es completa y se hace en presencia del oxígeno produciéndose CO_2 y agua como materiales de desecho.

EL UMBRAL ANAERÓBICO

A medida que crece la intensidad del ejercicio suben las pulsaciones y llega un momento en el que la demanda de energía es tan alta, que no podemos suministrar a las células el suficiente oxígeno para la combustión, por lo que ésta se hace sin oxígeno y además de forma incompleta, dando lugar a una sustancia de desecho que es el ácido láctico.

A este punto corresponde un determinado número de pulsaciones y este número es lo que llamamos umbral anaeróbico, que varía de unas personas a otras en función del nivel de entrenamiento.

Existen en los gimnasios aparatos como la cinta para realizar los movimiento aeróbicos.

Para saber exactamente cuál es nuestro umbral anaeróbico existen distintos tests, pero requieren de cierto material del que no disponen en los gimnasios y miden básicamente la concentración de ácido láctico en sangre; no obstante, se suele estimar alrededor de un 85 por ciento de la frecuencia cardiaca máxima.

El umbral aeróbico varía de unas personas a otras y viene determinado por el nivel de entrenamiento.

ANAERÓBICOS LÁCTICOS Y ALÁCTICOS

Como ya hemos visto, cuando el ejercicio es anaeróbico se produce ácido láctico, que al acumularse, impide la contracción muscular y nos lleva a la fatiga, pero para ver la diferencia entre lácticos y alácticos mejor lo haremos con un ejemplo.

En una carrera de 50 metros a la máxima velocidad utilizamos el metabolismo anaeróbico, pero, al ser tan corto el esfuerzo, el lactato no llega a acumularse. Estaríamos haciendo un trabajo aláctico. Por el contrario, en una carrera de 500 metros, el lactato sí se acumularía y limitaría nuestra velocidad. El trabajo es puramente láctico.

EFECTOS DEL ENTRENAMIENTO CARDIOVASCULAR

- En líneas generales se produce un aumento del tamaño del corazón, sobre todo del ventrículo izquierdo, por el estrechamiento de sus paredes; al contrario que con el entrenamiento de pesas, que hace estas paredes más anchas.
- Como consecuencia de lo anterior, disminuye la frecuencia cardiaca porque el corazón bombea más cantidad de sangre en cada contracción, aumentando la reserva cardiaca.
- Aumenta el volumen de sangre y hay mayor hemoglobina total.
- Aumenta el número de capilares.
- Mejor oxidación de las grasas disminuyendo el LDL (colesterol «malo») y aumentando el HDL (colesterol «bueno»).
- Normaliza la tensión y los niveles de insulina en sangre.

- Modifica la composición corporal: [–grasa] y [+masa magra] y en consecuencia [–obesidad].

LAS PULSACIONES EN EL ENTRENAMIENTO

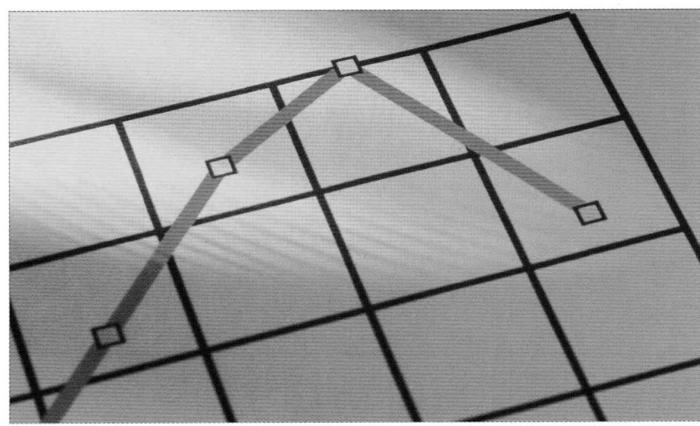

El entrenamiento ha de ser gradual y progresivo, y debe ser revisado por un especialista cuando existan problemas de salud.

Hay una fórmula sencilla para saber a cuántas pulsaciones debo entrenar para quemar más grasas o conseguir mejoras cardiovasculares. Si restamos a 220 nuestra edad, tenemos una teórica frecuencia cardiaca máxima (FC. MÁX.) que no debemos superar.

Multiplicando esta cifra por 0,6 y 0,8, tenemos dos cifras que son el 60 por ciento y el 80 por ciento de la FC. MÁX. Esta es la zona «quemagrasas» que nos proporcionará beneficios cardiovasculares, en la que podemos mantener el ejercicio 30, 40 o más minutos según el plan de entrenamiento que sigamos. Para mejorar cardiovascularmente o elevar el umbral anaeróbico tendremos que subir del 85 por ciento en esfuerzos submáximos y máximos mediante series y cambios de ritmo.

La fórmula anterior puede servir para la mayoría de la población, pero para sujetos entrenados, Karvonen diseñó una fórmula que tiene en cuenta la frecuencia cardiaca de reserva. Se calcula restando a la FC. MÁX. la frecuencia cardiaca en reposo que se toma nada más despertar y sin incorporarse.

Esta FC. RESERVA se multiplica por el porcentaje al que queremos trabajar y al resultado se le suma de nuevo la FC. de reposo o basal, y así obtenemos el número de pulsaciones al que debemos entrenar.

Vamos a poner un ejemplo:

Un individuo de 30 años que quiere correr al 80 por ciento de su FC. MÁX. y tiene 50 pulsaciones en reposo:

FC. MÁX: 220 – edad = 220 – 30 = 190

FC. RESERVA: FC. MÁX. – FC. BASAL = 190 – 50 = 140

80% = 140 x 0,8 = 112

112 + FC. BASAL = 112 + 50 = 162

Tenemos que el 80 por ciento para este individuo serían 162 ppm.

FRECUENCIA DE LOS AERÓBICOS

Esto es muy variable dependiendo de los objetivos y del tipo de metabolismo de cada uno. Lo cierto es que el exceso de aeróbicos puede ser un obstáculo si lo que queremos es ganar masa muscular y si tenemos un metabolismo rápido se verá acelerado con el entrenamiento cardiovascular.

Así por ejemplo, una persona a la que le cuesta ganar peso puede tener suficiente con dos sesiones semanales de 20 minutos, pero si el objetivo es perderlo, será mejor hacer hasta cuatro sesiones de 40 minutos semanales. Por eso habrá que equilibrar de manera individual la cantidad y calidad de aeróbicos y de musculación en cada caso concreto.

Una mujer puede entrenar sin miedo a perder su figura femenina o a poseer un exceso de musculación, siempre que no tome esteroides anabolizantes o posea unos niveles anormales de testosterona.

LOS ESTIRAMIENTOS

A fin de mantener la máxima amplitud de movimientos, evitando así descompensaciones musculares y posturales que nos pueden llevar a dolores e incluso a lesiones, es recomendable estirar antes, de forma suave, y después, más a fondo, de todo tipo de entrenamiento, ya sea cardiovascular o de musculación.

A continuación veremos una rutina de ejercicios de estiramiento que se pueden realizar, mejor al final del entrenamiento, manteniendo cada posición 20 y 30 segundos.

El estiramiento debe ser agradable, sin llegar nunca al dolor, que provocaría el reflejo de contracción en el músculo.

A continuación describiremos los estiramientos más utilizados para cada grupo muscular.

GLÚTEOS Y ABDUCTORES

Frente a la espaldera o una barra fija a la altura más o menos de la cadera, apoyamos un pie sobre la barra con la rodilla flexionada, manteniendo la otra pierna recta en el suelo, y presionando con la cadera hacia delante. En esta posición, estiramos sobre todo el glúteo de la pierna adelantada y los abductores de la pierna atrasada.

Derecha *Izquierda*

ISQUIOTIBIALES

Frente a la misma barra del ejercicio anterior, pero ahora manteniendo una pierna estirada y apoyada por el talón sobre la barra, mientras la otra pierna permanece estirada sobre el suelo. El pie apoyado en el suelo apunta hacia delante o con un ángulo máximo de 30°. Desde aquí bastará con inclinar el tronco hacia delante con la espalda recta hasta conseguir el estiramiento deseado.

Derecha

Izquierda

CUADRÍCEPS

De pie, apoyándonos con una mano en cualquier punto fijo y sujetando con la otra el tobillo de la pierna del mismo lado que tendremos flexionada por la rodilla hacia atrás. Intentaremos llevar el talón lo más próximo posible al glúteo.

Derecha

Izquierda

ISQUIOTIBIALES Y ESPALDA (DE PIE)

De pie, con las piernas juntas y las rodillas estiradas, apoyaremos los glúteos en la pared o la espaldera y colocaremos los pies separados de la misma unos 20 centímetros, para mantener mejor el equilibrio. Desde esta posición, flexionaremos el tronco hacia delante con la espalda plana hasta notar el estiramiento en la parte posterior de las piernas, a la vez que nos apoyamos con las manos por encima de las rodillas para, de esta manera, disminuir la presión de los discos de la zona lumbar.

Puede practicarse también una variante de este ejercicio, la cual consiste en cruzar una pierna sobre la otra para incrementar así la tensión sobre la pierna que queda atrasada.

Derecha *Izquierda*

ABDUCTORES, ISQUIOTIBIALES Y ESPALDA (SENTADO)

Sentados frente a la espaldera, con las piernas estiradas y separadas (procurando no doblar las rodillas) lo suficiente como para notar tensión en los abductores. En esta posición, inclinaremos el tronco, con la espalda lo más recta posible, hacia un lado, luego hacia el otro y finalmente al frente, manteniéndose en cada una de estas posiciones el tiempo establecido.

Izquierda

Derecha

TIBIAL ANTERIOR Y CUADRÍCEPS

Sentados en el suelo, en la conocida posición del paso de vallas, con una pierna flexionada hacia atrás y la otra bien estirada al frente.

CONSEJO

Antes de empezar con una sesión de entrenamiento específica es conveniente estirar todos los músculos del cuerpo que intervienen en ella para acostumbrarlos al esfuerzo que exige el ejercicio.

En esta posición inicial, nos tumbaremos hacia atrás, lentamente, hasta notar el estiramiento en el cuadríceps así como en el tibial anterior de la pierna que tengamos flexionada.

GEMELOS Y SOLEO

Apoyados sobre la pared o las espalderas con la espalda inclinada hacia delante y una pierna totalmente estirada hacia atrás, tiraremos del talón hacia el suelo hasta que notemos el estiramiento del gemelo.

Si adelantamos la cadera aumentará la tensión. Para estirar el soleo sólo habrá que flexionar la rodilla desde la posición anterior.

GLÚTEOS Y FASCIA LATA (SENTADO)

Sentados en el suelo con una pierna estirada y la otra flexionada y con el pie apoyado junto a la parte exterior de la rodilla de la pierna estirada. A partir de esta posición inicial, tiraremos con ambos brazos de la rodilla hacia el pecho. También podemos girar el tronco hasta apoyar ambas manos en el suelo.

APOYO SOBRE EL SACRO

PECTORALES Y BÍCEPS

De pie, de lado a la pared y con un brazo bien estirado hacia atrás en posición horizontal, giraremos los hombros hasta encontrar el estiramiento necesario.

Con el codo extendido, estiramos también el bíceps; mientras que si lo flexionamos, estiramos sólo el pectoral y el deltoide anterior.

DORSALES

De pie frente a la espaldera y bien sujetos a ella, a una distancia suficiente como para que podamos estirar los brazos totalmente al frente, a la vez que tenemos el tronco flexionado hacia delante unos 90°. En esta posición, tirando de las caderas hacia atrás y bajando los hombros, conseguimos el máximo estiramiento de los dorsales.

DELTOIDE POSTERIOR

De pie o sentado con la espalda recta, envolvemos con un brazo nuestro cuello, a modo de bufanda, a la vez que con la mano libre empujamos el codo del otro brazo para estirar bien la parte posterior del deltoide.

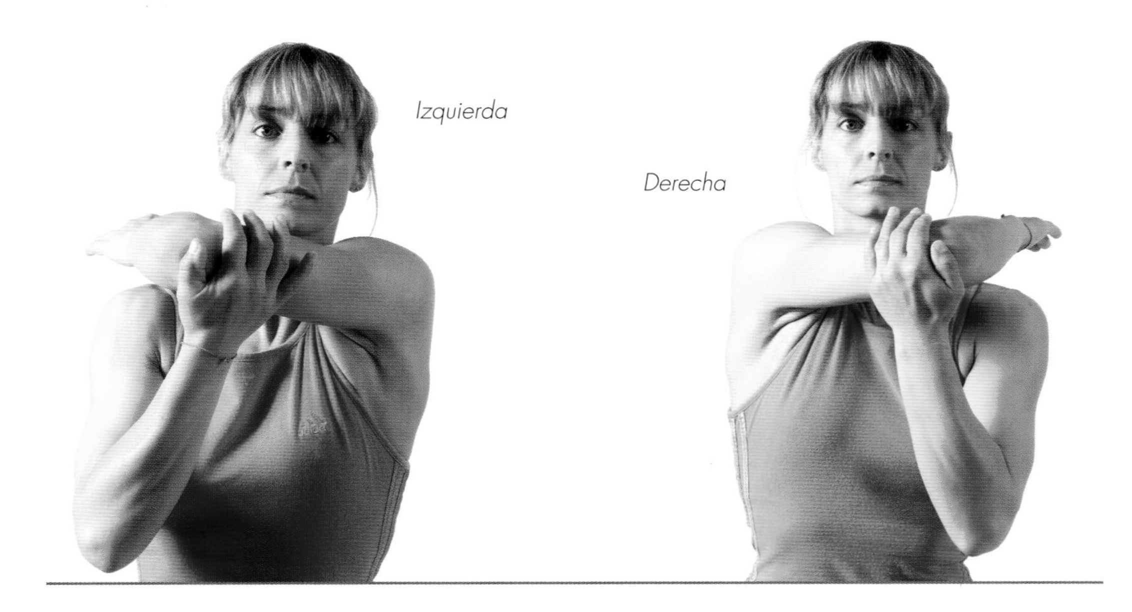

Izquierda

Derecha

ABDOMINALES

Tumbados en el suelo boca abajo con las palmas de las manos apoyadas justo debajo de los hombros, estiraremos los brazos totalmente, arqueando la espalda hacia atrás y manteniendo las caderas en el suelo.

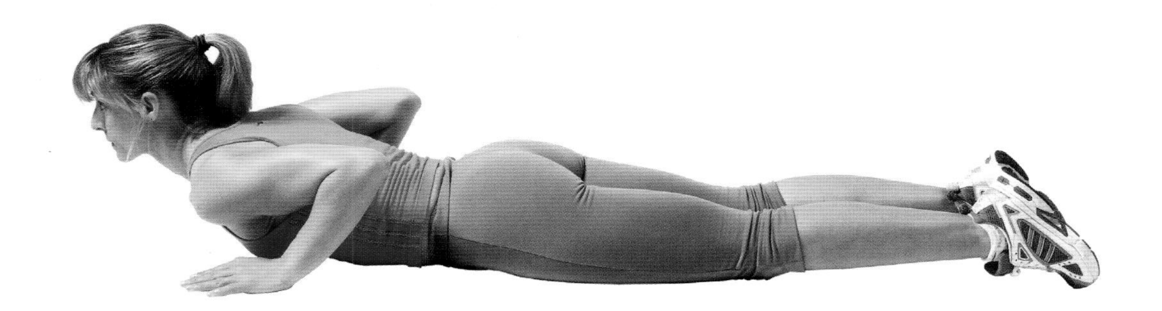

Las palmas de la mano no deben superar la abertura de los hombros en la extensión total del brazo al trabajar los abdominales.

TRÍCEPS

CONSEJO
Al tirar del codo hacia atrás notaremos el alargamiento del tríceps. Si además mantenemos la espalda recta contribuiremos a la fortaleza lumbar.

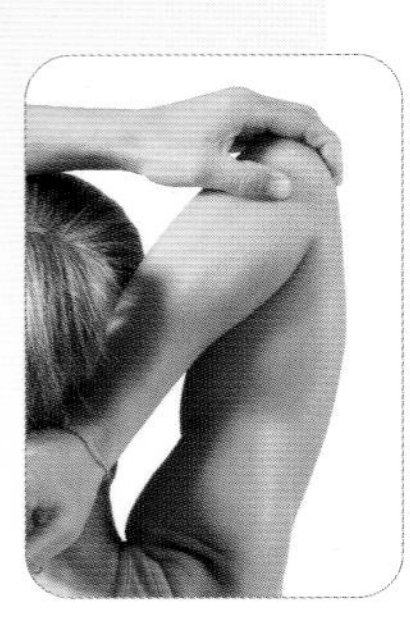

Este estiramiento consiste en aproximar lo máximo posible la muñeca de la mano hacia el hombro del mismo brazo. Si nos es posible apoyar el codo en un punto elevado por encima de la cabeza, será mucho mejor y más cómodo. También estiraremos el dorsal en esta misma posición.

ANTEBRAZOS

A cuatro patas en el suelo con los brazos estirados y los dedos de las manos apuntando hacia atrás ya notaremos la tensión. Si además nos echamos ligeramente hacia atrás, entonces conseguiremos un estiramiento extra.

CONSEJO

Es imprecindible mantener los brazos completamente rectos en el estiramiento inicial que se plantea para preparar los antebrazos antes de comenzar la sesión.

El entrenamiento es una fórmula para regular el peso.

EL ENTRENAMIENTO AVANZADO: LOS CICLOS

Es un hecho constatable que no podemos mejorar indefinidamente en el entrenamiento. Durante los primeros meses la progresión es muy rápida y palpable, pero llegará un punto en que no solamente no mejoraremos, sino que incluso perderemos condiciones. A fin de evitar esto, además de variar las sesiones cambiando rutinas y ejercicios, debemos también establecer una serie de ciclos para los entrenamientos.

Para entender plenamente este proceso, hay que tener presentes los siguientes conceptos:

1. LA SESIÓN es el día de entrenamiento. Basándonos en los ejemplos de rutinas que se exponen más adelante, a partir del sexto mes, en la sesión se suelen trabajar dos o tres grupos musculares.
2. EL MICROCICLO es el tiempo que tardaremos en trabajar todos los grupos musculares. Siguiendo con los mismos esquemas, el microciclo coincidiría con la semana.

3. El MESOCICLO se compone de varios microciclos y es donde se pueden introducir las mayores variaciones, haciendo mesociclos de hipertrofia, de resistencia o de fuerza máxima:

   - El *mesociclo de hipertrofia:* El que hemos probado se compone de cuatro o cinco microciclos en los que el entrenamiento es el clásico de musculación, de entre ocho y 12 repeticiones y recuperaciones de entre uno y dos minutos. En cuanto al número de series serán las que se recomiendan en el esquema del 4.° y 5.° mes.
   - El *mesociclo de resistencia:* Está compuesto por dos microciclos en los que se llevan a cabo muchas repeticiones, entre 15 y 25, pero con poco peso y recuperaciones de entre 30 segundos y un minuto.

     En este sistema es útil hacer «superseries» y «triseries» para un mismo grupo muscular, que consiste en realizar dos o tres ejercicios seguidos sin descanso entre ellos. El número de series también suele ser mayor, del orden de cuatro o cinco por ejercicio.
   - El *mesociclo de fuerza máxima:* Coincide con el microciclo en duración, pues se compone sólo de uno, es decir, una semana. Aquí los pesos a utilizar son grandes, de manera que nos permitirá hacer sólo entre una y seis repeticiones. La recuperación entre series es larga, entre dos minutos y medio y tres, y menos series y ejercicios por grupo muscular.

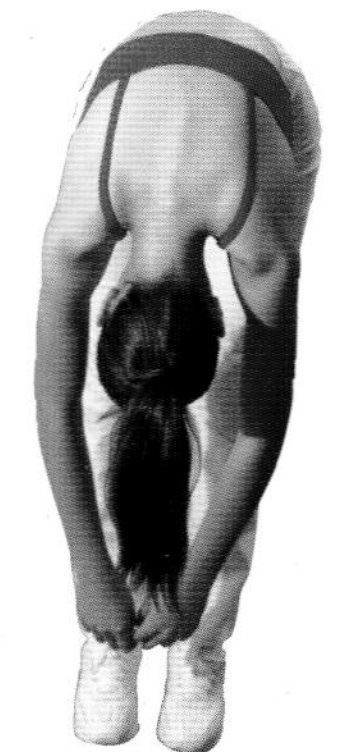

4. El MACROCICLO se compone de varios mesociclos. Fijándonos en la secuencia anterior, el macrociclo duraría ocho semanas, por lo que se pueden hacer varios al año con algún período de regeneración o descanso de unos 15 días a un mes en verano y en invierno.

Esquema de los mesociclos

	MACROCICLO		
	Hipertrofia	**Resistencia**	**F. Máxima**
Ejercicios pos músculos	3-4	3-5	2-3
Series por ejercicio	3-4	4-5	3
Repeticiones por serie	8-12	15-25	1-6
Recuperación hipertrofia	1-2 min.	0,30-1 min.	2,30-3 min.

ENTRENAMIENTO

PRIMER MES 1

Al principio, lo mejor es dejarse asesorar por un especialista, antes de empezar a entrenar con las máquinas.

El entrenamiento del primer mes se corresponde con el nivel básico del entrenamiento, en las que el deportista va a conseguir los conocimientos básicos sobre los músculos de su cuerpo, cómo actúan y cómo hay que entrenar para protegerlos. Para obtener un rendimiento óptimo, se aconseja un entrenamiento que ha de realizarse de forma regular. En líneas generales, son tres los días que se establecen a la semana para mantener una buena forma física.

Para iniciar el entrenamiento, es imprescindible haber realizado los estiramientos necesarios para el calentamiento. Esta preparación básica es fundamental para que los músculos adquieran la tonicidad y la elasticidad necesarias. La rutina de entrenamiento del primer mes, que va a consistir en realizar un único ejercicio para cada grupo muscular, constituye una primera toma de contacto con este tipo de preparación física que está en la base de todos los deportes.

Cada uno de los ejercicios que se plantean sirven para trabajar sobre un grupo muscular concreto y deben ejecutarse en dos o tres series cada uno de ellos; además, se han de realizar 12 repeticiones, excepto en el caso del ejercicio para fortalecer los abdominales que podrá oscilar entre 12 y 25 repeticiones.

La recuperación entre series puede oscilar entre uno o dos minutos, y el peso a utilizar es el que viene especificado en el apartado de «El entrenamiento», que va a estar determinado del número de repeticiones y porque trabajamos en la franja de la denominada hipertrofia o método de fuerza submáxima.

RECORRIDO DE LA SERIE

POSICIÓN INICIAL POSICIÓN INTERMEDIA POSICIÓN FINAL

Esquema del entrenamiento del primer mes

Grupo muscular	Ejercicio	Series	Repeticiones
Abdominal	Encogimientos	2-3	12-25
Pierna	Extensiones en máquina *Curl* femoral	2-3 2-3	8-12 8-12
Pecho	*Press* banca en máquina	2-3	8-12
Dorsal	Jalones en polea	2-3	8-12
Hombro	*Press* vertical en máquina	2-3	8-12
Bíceps	*Curl* con barra	2-3	8-12
Tríceps	Tirones en polea	2-3	8-12
Gemelos	Elevaciones de talón	2-3	8-12

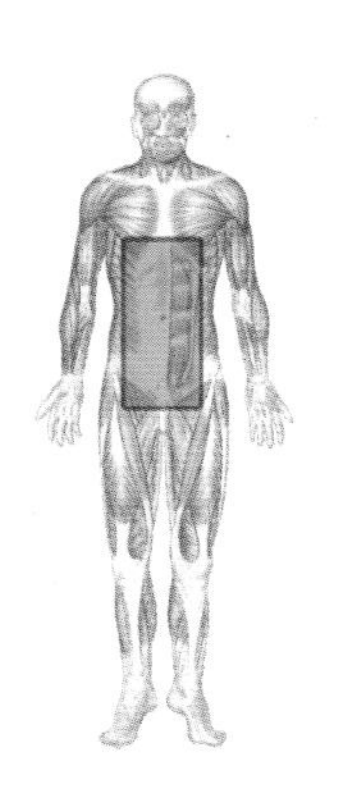

Músculos ejercitados:
Recto abdominal
y oblicuos.

EJERCICIO 1
ENCOGIMIENTOS

1 Tumbados en el suelo o bien en un banco de abdominales, con las rodillas flexionadas y las puntas de los pies en el aire, para evitar la acción de los flexores de la cadera y centrar el trabajo en el recto abdominal, situaremos las manos a los lados de la cabeza o cruzadas sobre el pecho.

Detalle de la posición de los pies con las puntas fuera del banco y ejerciendo presión con los talones.

2 Después, elevar el tronco sin despegar la espalda del suelo o el banco, como si intentáramos aproximar el esternón hacia el pubis. Mantener la posición unos segundos y, por último, volver lentamente a la posición relajada inicial.

Serie completa de encogimientos, para ejercitar el recto abdominal y oblicuos.

CONSEJO

Para ejercitar el músculo recto abdominal hay que colocar las manos a ambos lados de la cabeza, si no estaríamos entrenando a los flexores de la cabeza.

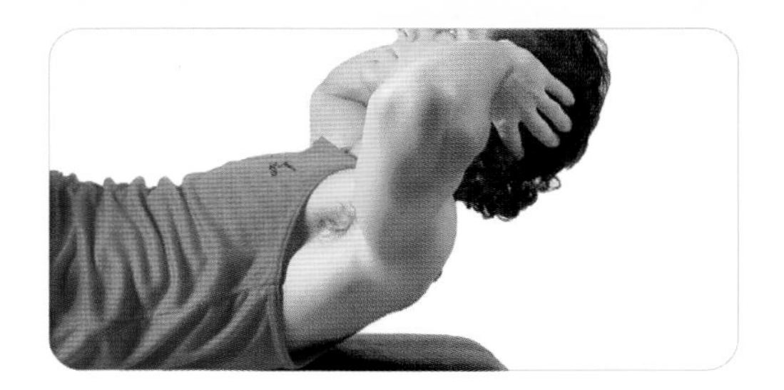

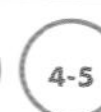

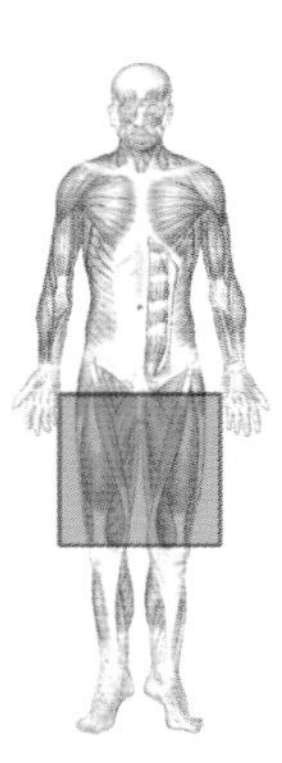

Músculos ejercitados:
Cuadríceps femoral (vastos medio, interno y externo y recto femoral).

EJERCICIO 2
EXTENSIONES DE RODILLA EN MÁQUINA

Sentado en la máquina, con la espalda muy recta y bien apoyada en el respaldo y con el rodillo sobre las tibias, justo por encima de los tobillos.

CONSEJO

Para que este ejercicio de extensiones de rodilla se desarrolle con pleno rendimiento, hay que apoyar la espalda muy recta sobre el respaldo de la máquina, para evitar descompensaciones.

2 A partir de esa posición inicial, ir elevando los pies sin separarlos del refuerzo de la máquina.

3 Hay que llegar a extender totalmente las rodillas. Entonces, mantener la posición un instante y volver a la posición inicial, realizando todo el recorrido que el aparato nos permita.

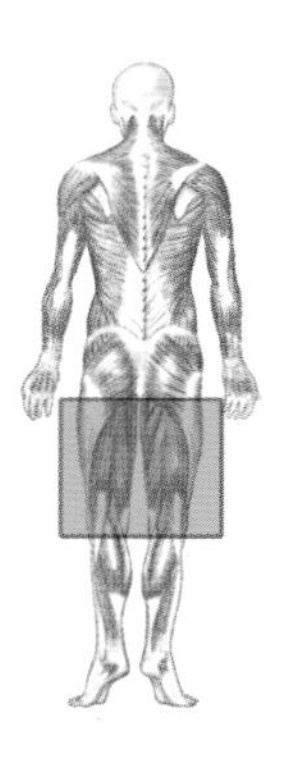

Músculos ejercitados:
Isquiotibiales.

EJERCICIO 3
CURL FEMORAL

1 La posición inicial es colocarse tumbado en la máquina con el rodillo directamente sobre los tobillos.

Detalle del recorrido de las piernas.

2 Las manos se situarán en la parte inferior de la máquina para ayudar a mantener la posición de equilibrio en todo el ejercicio. Después, se flexionan las rodillas al menos 90° y se mantiene la contracción.

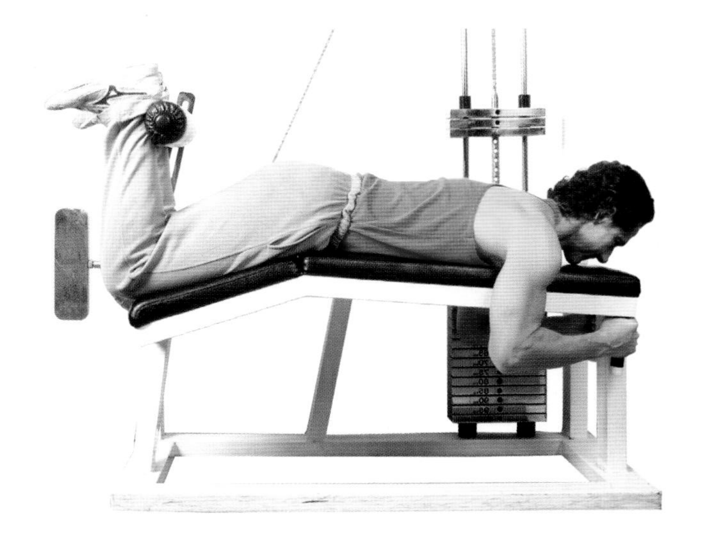

3 Por último, se extienden las piernas lentamente hasta volver a la posición inicial.

2-3

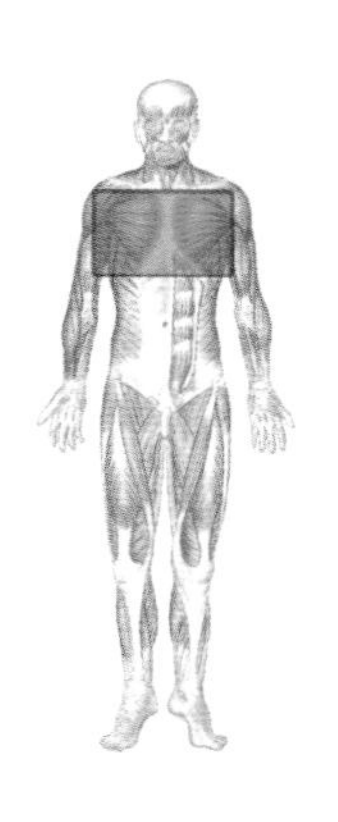

Músculos ejercitados:
Pectorales.

EJERCICIO 4
PRESS DE BANCA EN MÁQUINA

Esta máquina permite una doble ejecución del ejercicio por la alternativa que ofrece de situar las manos más o menos alejadas del cuerpo.

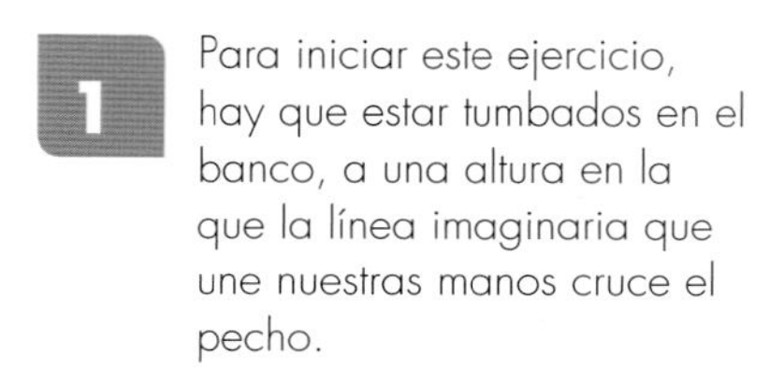

1 Para iniciar este ejercicio, hay que estar tumbados en el banco, a una altura en la que la línea imaginaria que une nuestras manos cruce el pecho.

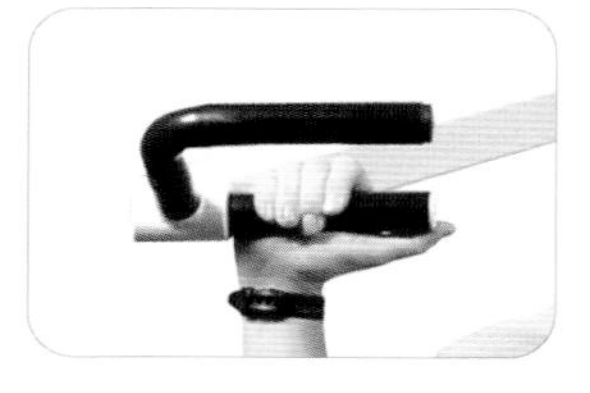

Detalle de la posición de las manos, que han de sujetarse a la banca con firmeza.

2 Empujaremos hacia arriba hasta extender ompletamente los brazos y, en ningún caso, sin adelantar los hombros. Mantendremos esta posición unos segundos.

3 Desde aquí, iremos bajando lentamente haciendo todo el recorrido que nos permita la máquina, pero sin apoyar el peso en ningún momento. Seguidamente, volveremos a subir hasta la posición inicial, y así sucesivamente hasta completar el número de repeticiones prescritas.

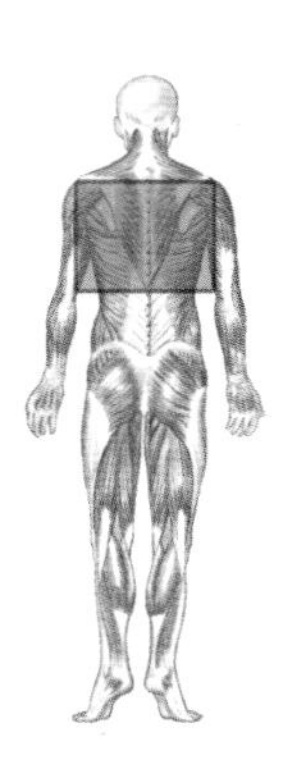

EJERCICIO 5
JALONES EN POLEA

Músculos ejercitados:
Dorsales (dorsal mayor, teres, redondo y romboide).

1 Para iniciar este ejercicio, debemos de sentarnos frente a la polea y coger el maneral, con el agarre más amplio que nos sea posible, por los extremos angulares de la barra, de manera que tengamos los brazos lo más estirados posible.

2 Seguidamente, tiraremos hacia abajo, con los codos apuntando hacia el suelo y ligeramente hacia atrás, hasta rozar superficialmente la parte alta de nuestro trapecio.

3 Por último, volveremos de forma controlada, sin hacer movimientos bruscos, a la posición inicial, hasta tener los brazos de nuevo totalmente estirados.

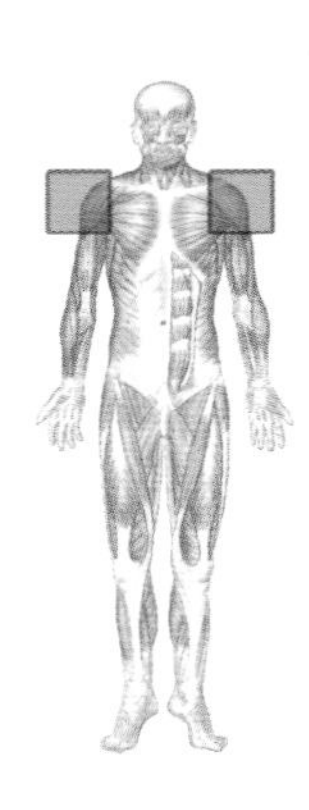

Músculos ejercitados: Hombros (deltoides medio y anterior, y trapecios).

EJERCICIO 6

PRESS VERTICAL EN MÁQUINA

1 Sentados en el banco del aparato, con la espalda bien apoyada en el respaldo y los pies firmemente asentados en el suelo, con una separación ligeramente superior a la de los hombros, sujetaremos el manillar de la máquina.

CONSEJO

La posición inicial y final de las manos, para la realización de este press vertical, deben quedar a la altura de las orejas, porque un exceso en el descenso puede provocar una lesión en los hombros.

2 Después, empujaremos hacia arriba hasta extender por completo los brazos y quedar el manillar por encima de nuestra cabeza.

3 Luego, descenderemos con lentitud y con los codos apuntando directamente al suelo, hasta que las manos estén a la altura de nuestras orejas, aproximadamente. No es necesario bajar más, así evitaremos dañar la delicada musculatura que conforma los hombros. Luego volveremos a subir y habremos completado así una repetición.

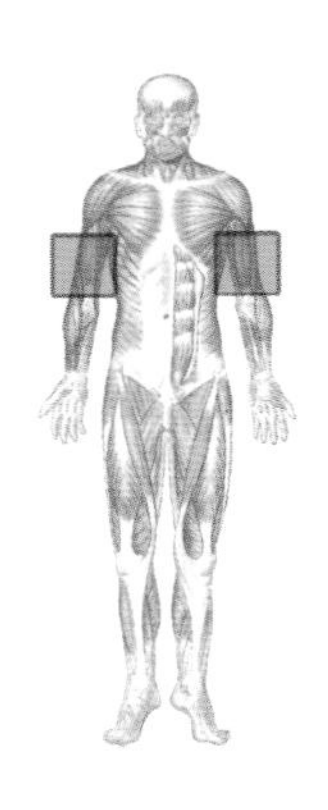

Músculos ejercitados: Bíceps braquial y musculatura flexora del brazo.

EJERCICIO 7
CURL DE PIE CON BARRA

1 De pie sujetando una barra, que previamente habremos cargado con el peso conveniente, ponemos los pies separados ligeramente y las rodillas un poco flexionadas para descargar la tensión lumbar. Las manos en agarre supino tienen que estar separadas a la anchura de los hombros aproximadamente.

Detalle de la posición de las manos, en agarre supino.

2 Flexionaremos los codos hasta que la barra se acerque al pecho, y entonces deberemos mantenerla en esta posición durante un segundo. Para finalizar, volveremos a descender hasta llegar a extender completamente los brazos. Repetiremos el ejercicio tantas veces como indique nuestra rutina.

La flexión del codo, permitirá el acercamiento de la barra al pecho.

Serie completa de curl de pie con barra, para ejercitar el bíceps braquial y la muscularuta flexora del brazo.

EJERCICIO 9

ELEVACIONES DE TALÓN

Músculos ejercitados:
Gemelos (soleo y gastrocnemio).

1 De pie, apoyando las puntas en el escalón del aparato y con los soportes del mismo colocados sobre los hombros.

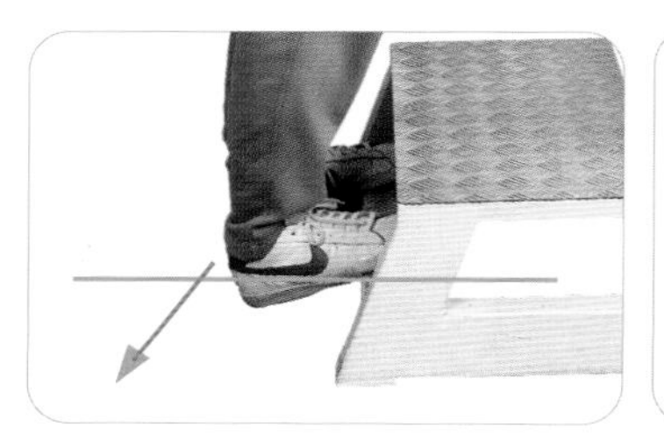

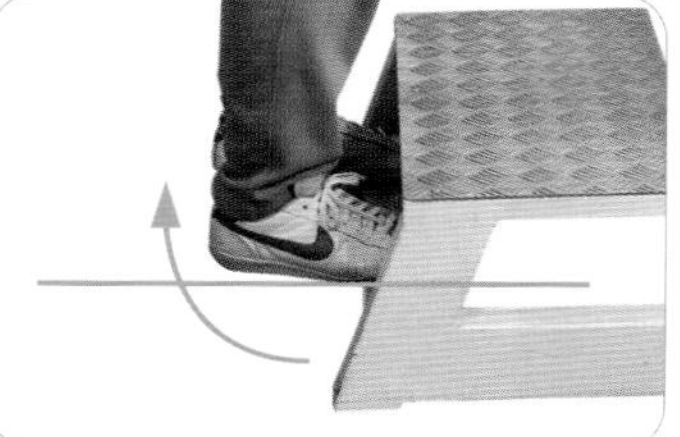

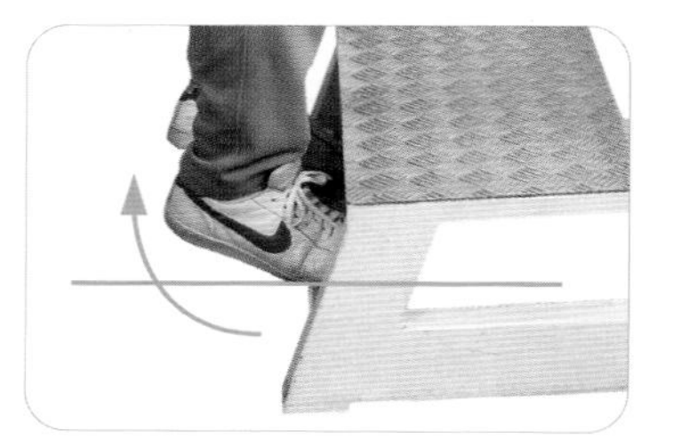

Detalle del recorrido de los talones.

2 A partir de la posición inicial marcada, comenzaremos a elevar los talones manteniendo las rodillas bien estiradas.

3 Ascender tanto como sea posible y, en esa posición, permaner unos instantes, para volver a descender despacio hasta recuperar la posición inicial.

CONSEJO

Siempre, al finalizar el entrenamiento, realizaremos los estiramientos que vimos en el capítulo correspondiente para relajar el sistema muscular.

ENTRENAMIENTO

SEGUNDO Y TERCER MES 2-3

Durante los meses segundo y tercero se conseguirá una buena preparación física que nos va a permitir la ejecución de ejercicios que conllevan cierto grado de dificultad, como los fondos en paralelas.

El entrenamiento del segundo mes se corresponde con el nivel principiante del entrenamiento, período durante el cual el deportista que lleva un mes entrenando, ya ha adquirido unos conocimientos básicos acerca de la práctica de la musculación. Para seguir avanzando y conseguir un rendimiento óptimo, se aconseja un entrenamiento que ha de realizarse de forma regular. Aunque, generalmente, son tres los días que se establecen a la semana para mantener una buena forma física, aunque si se desea se puede ampliar a cuatro.

Recordamos que para iniciar el entrenamiento, es imprescindible haber realizado los estiramientos, necesarios para el calentamiento, y que deben forma parte de la rutina. El plan de entrenamiento de este nivel se establece para una duración de dos meses, en el que se van a combinar los grupos musculales en función de las preferencias individuales.

En este capítulo ofrecemos dos propuestas elementales, que son las que se realizan normalmente:

- La rutina A: Se trabajan piernas, hombros, tríceps y gemelos.
- La rutina B: Se entrenan dorsal, pecho, bíceps y abdominal.

Siguiendo el planteamiento del primer mes, seguiremos las mismas pautas en cuanto a calentamiento, estiramientos, pesos y repeticiones, y se realizarán tres series por cada uno de los meses. Las rutinas se tienen que alternan forzosamente, tanto si se entrenan tres como si son cuatro los días elegidos.

Estas nuevas rutinas ofrecen una profundización en el entrenamiento, que permite trabajar cada grupo muscular más a fondo, ya que realizamos dos ejercicios por grupo, tres en el caso de la pierna, consiguiendo mayor congestión y mayor necesidad de adaptación.

Esquema del segundo y tercer mes

Rutina A

Grupo muscular	Ejercicio	Series	Repeticiones
Piernas	Extensiones	3	8-12
	Prensa	3	8-12
	Curl femoral alterno	3	8-12
Hombros	*Press* tras nuca con barra	3	8-12
	Elevaciones laterales	3	8-12
Tríceps	*Press* francés	3	8-12
	Fondos en paralelas	3	8-12
Gemelos	Elevaciones a una pierna	3	12-25
	Elevaciones sentado	3	12-25

Rutina B

Grupo muscular	Ejercicio	Series	Repeticiones
Dorsal	Dominadas	3	8-12
	Remo Gironda	3	8-12
Pecho	*Press* de banca	3	8-12
	Aberturas con mancuernas	3	8-12
Bíceps	*Curl* alterno con mancuernas de pie	3	8-12
	Curl en banco *scott*	3	8-12
Abdominal	*Sit-ups*	3	15-25
	Elevaciones de piernas tumbado	3	15-25

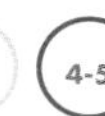

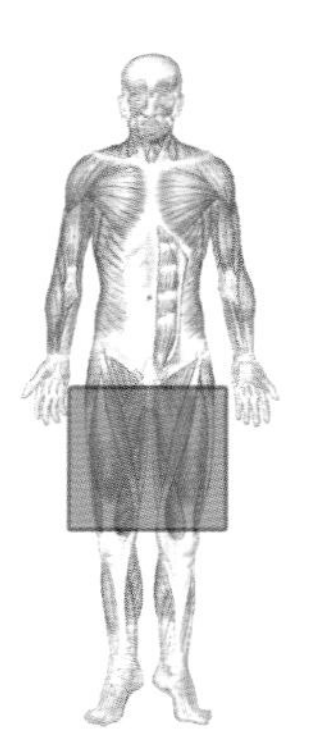

Músculos ejercitados:
Cuadríceps femoral (vastos medio, interno y externo y recto femoral).

PIERNAS

EXTENSIONES DE RODILLA EN MÁQUINA

Este ejercicio es el mismo que se ha practicado en el primer mes.

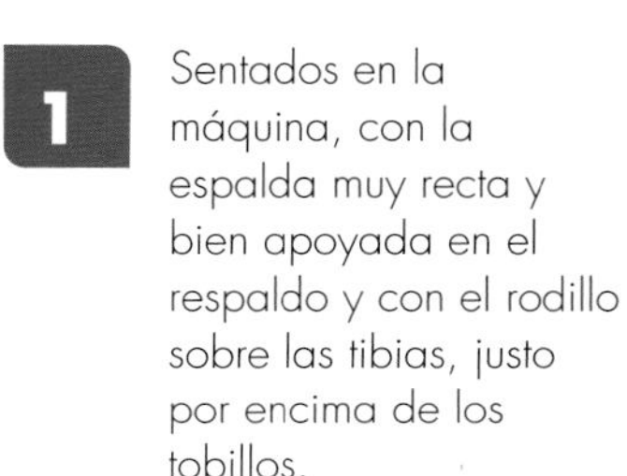

1 Sentados en la máquina, con la espalda muy recta y bien apoyada en el respaldo y con el rodillo sobre las tibias, justo por encima de los tobillos.

2 Elevaremos los pies hasta extender totalmente las rodillas y mantendremos la posición durante unos dos o tres segundos.

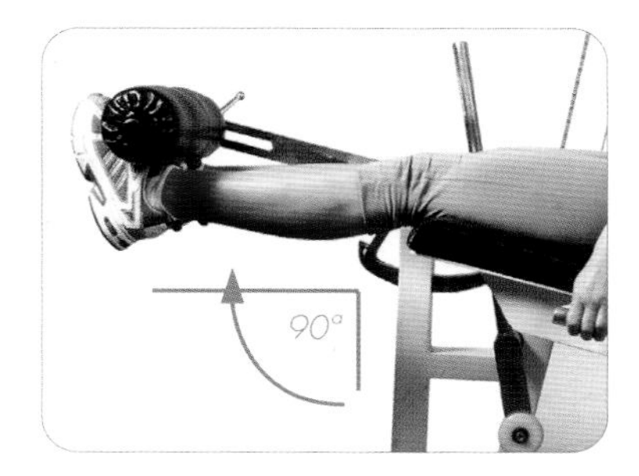

Detalle del recorrido al elevar los pies.

3 Por último, hay que volver a la posición inicial, realizando todo el recorrido que el aparato nos permita.

CONSEJO

En este ejercicio podemos incidir más en el vasto lateral o en el interno, variando la posición de los pies y apuntando hacia adentro o hacia fuera, respectivamente, en el momento de trabajar la rutina.

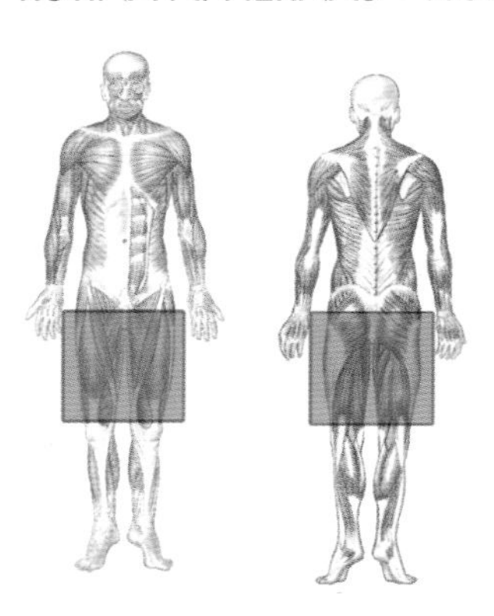

Músculos ejercitados:
Cuadríceps e isquiotibiales.

PIERNAS

PRENSA EN MÁQUINA

1 Para la realización de este ejercicio, debemos colocarnos tumbados en la máquina de prensa con la espalda bien apoyada en el respaldo, los pies separados aproximadamente a la anchura de los hombros, sujetando los agarres firmemente con las manos y manteniendo las caderas apretadas.

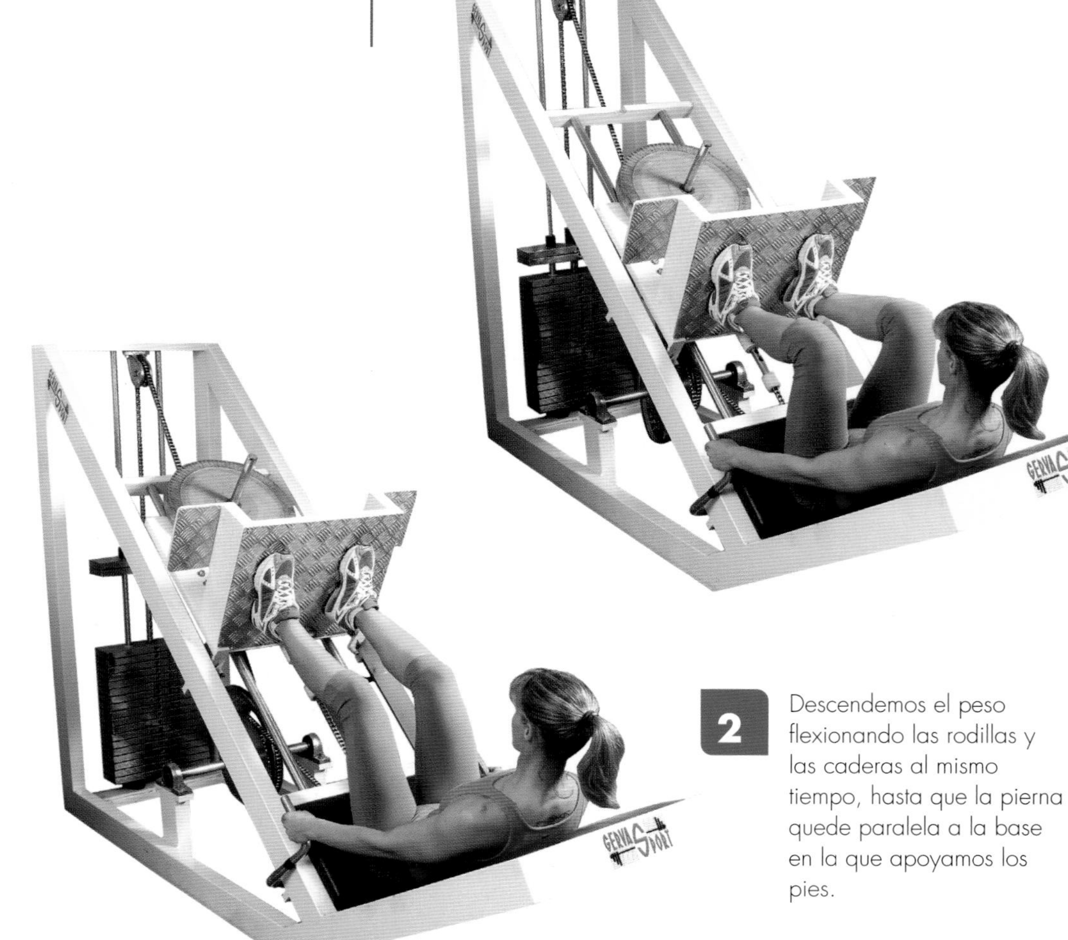

2 Descendemos el peso flexionando las rodillas y las caderas al mismo tiempo, hasta que la pierna quede paralela a la base en la que apoyamos los pies.

3 Desde esta posición empujaremos hacia arriba sin despegar en ningún momento los talones de su base, presionando con toda la planta del pie hasta llegar a la posición inicial.

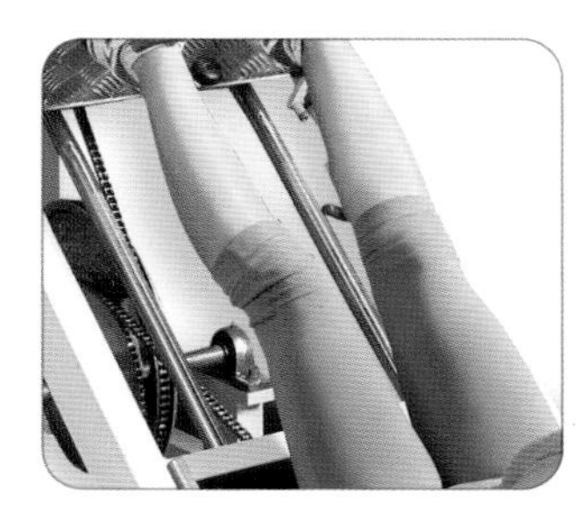

Detalle de la flexión en paralelo con los pies, y estiramiento de piernas.

CONSEJO

Este ejercicio está especialmente indicado para fortalecer y definir los muslos, claves en la silueta femenina.

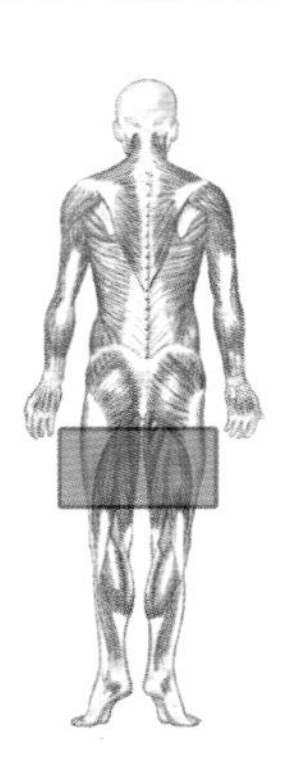

Músculos ejercitados:
Isquiotibiales.

PIERNAS
CURL FEMORAL ALTERNO

Este ejercicio es una variante del que hicimos el mes anterior, pero alternando las piernas y flexionando sólo una de ellas cada vez. Conseguimos así que la pelvis gire menos y dar variedad al entrenamiento.

1 Tumbados boca abajo en el aparato de curl femoral con las rodillas sobresaliendo justo en el borde del banco y el rodillo un poco más arriba de los talones.

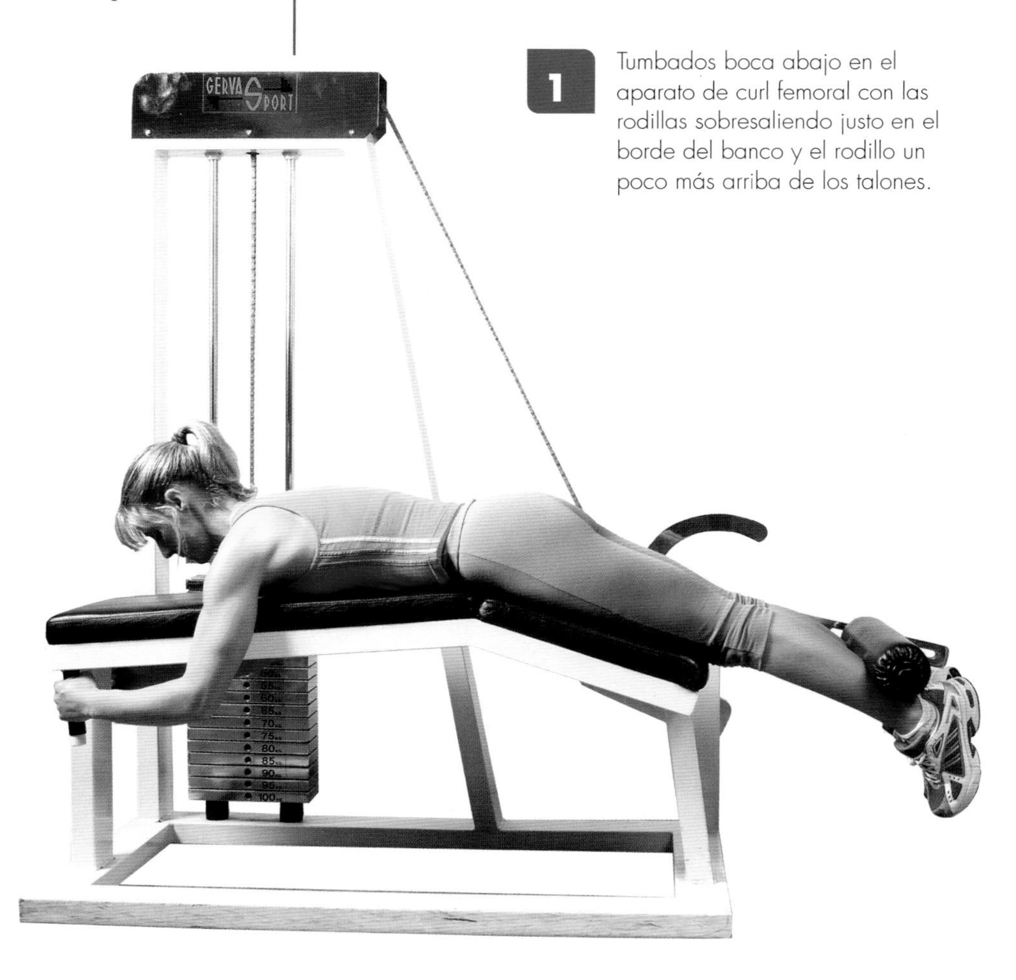

2 Flexionaremos la pierna derecha hasta donde podamos y nunca menos de 90°, sin separar el talón del refuerzo de la máquina.

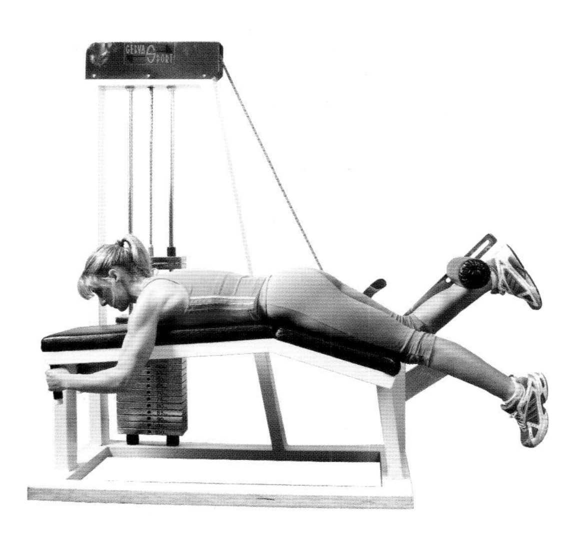

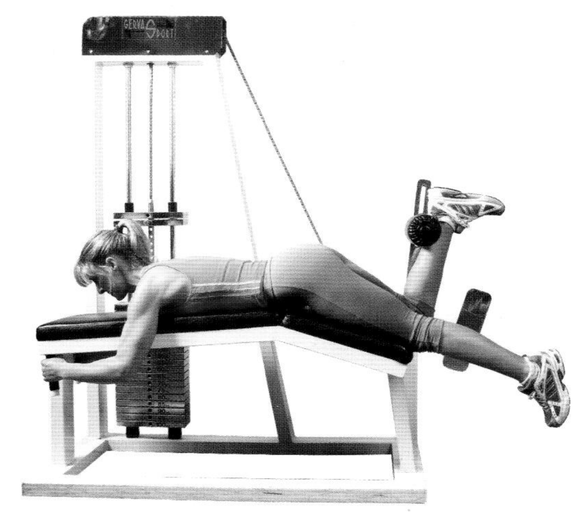

3 Después descenderemos despacio hasta la posición inicial y haremos lo mismo con la otra pierna, así sucesivamente hasta completar la serie.

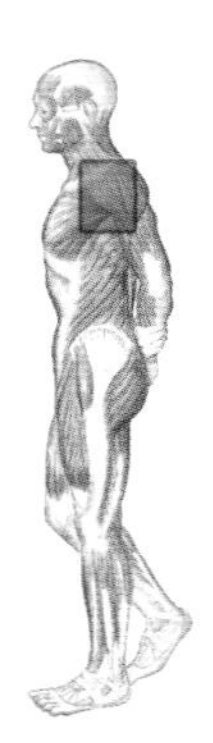

Músculos ejercitados:
Deltoides y fibras altas del trapecio.

HOMBROS
PRESS TRAS NUCA CON BARRA

Sentados en el banco de *press*, con los pies apoyados firmemente en el suelo, sujetaremos la barra con un agarre un palmo superior a la anchura de los hombros, y con un ligero empujón sacaremos la barra de su soporte alcanzando lo que tomaremos como posición inicial.

Para ejecutar este ejercicio de press tras nuca*, hay que apoyar los pies en el banco.*

2 Descenderemos el peso lentamente, apuntando con los codos hacia el suelo hasta rozar con la barra la parte posterior de la cabeza y nunca por debajo de las orejas. Inmediatamente, volveremos a elevar los brazos hasta la posición inicial.

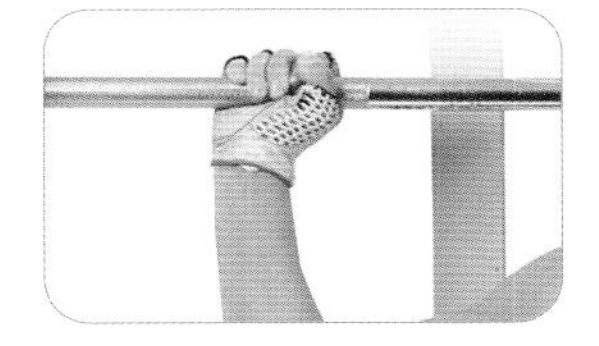

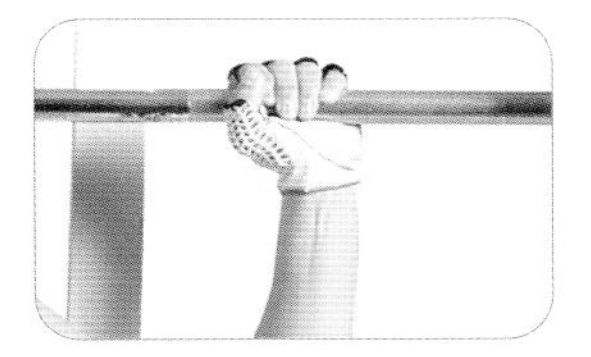

Detalle de cómo hay que sujetar la barra con firmeza, para evitar descompensaciones.

CONSEJO

Para ejercitar ejercitar correctamente el deltoides y las fibras altas del trapecio nos debemos situar en el centro y mantener la misma distancia entre la cabeza y nuestras manos derecha e izquierda.

Serie completa de press tras nuca con barra, para ejercitar los deltoides y las fibras del trapecio.

RUTINA A: PIERNAS • HOMBROS • TRÍCEPS • GEMELOS

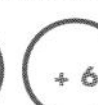

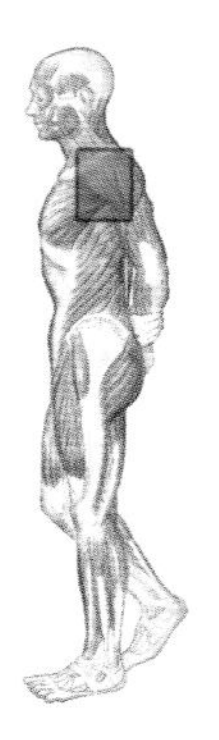

Músculos ejercitados:
Deltoides laterales.

HOMBROS
ELEVACIONES LATERALES CON MANCUERNAS

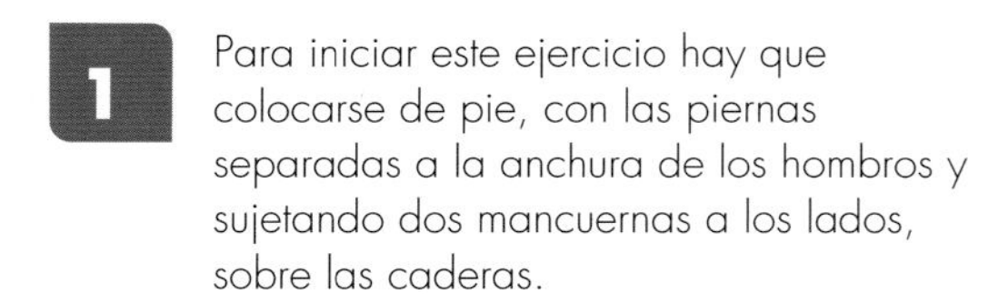

1 Para iniciar este ejercicio hay que colocarse de pie, con las piernas separadas a la anchura de los hombros y sujetando dos mancuernas a los lados, sobre las caderas.

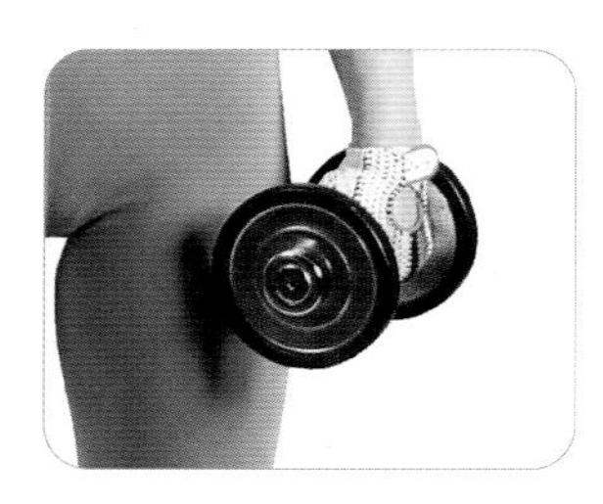

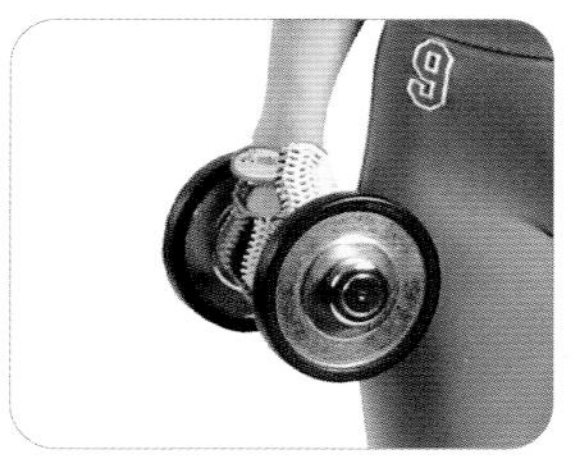

Las mancuernas se sujetan con firmeza, a ambos lados de las caderas y manteniendo la vertical con los hombros.

2 Elevamos los brazos con las palmas mirando siempre hacia el suelo y con los codos ligeramente flexionados, para evitar la acción de la cabeza larga del bíceps, hasta alcanzar la posición horizontal. Después descendemos hasta la posición inicial.

Detalle del recorrido del brazo describiendo un ángulo de 90°.

Serie completa de elevaciones con mancuernas, en la que ejercitamos los deltoides laterales.

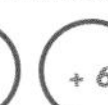

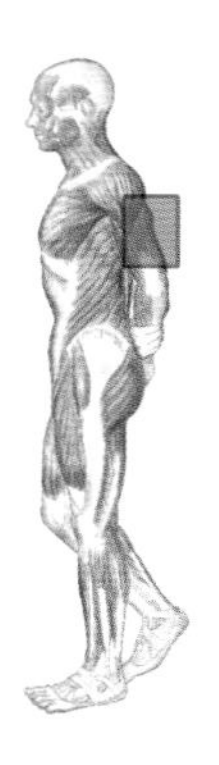

Músculos ejercitados:
Tríceps braquial.

TRÍCEPS
PRESS FRANCÉS CON BARRA «Z»

1 Tumbados en un banco con los pies apoyados bien en el suelo o bien en el borde del banco y sujetando la barra «Z» con las manos separadas la distancia de los pulgares, así como con los brazos perpendiculares al suelo.

CONSEJO
Durante todo el ejercicio sólo se mueve el antebrazo, nunca el brazo ni los codos.

2 Flexionamos los codos que permanecerán fijos y equidistantes durante todo el ejercicio hasta rozar con la barra la parte alta de la frente.

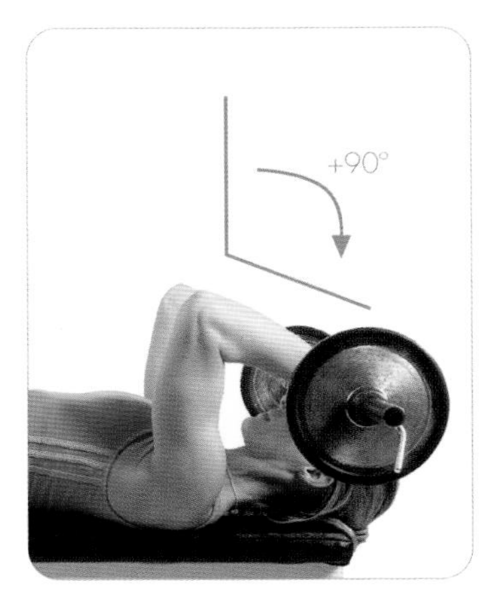

Detalle del ángulo recorrido.

3 Desde aquí empujaremos hasta la posición inicial, describiendo para ello un recorrido de unos 90°.

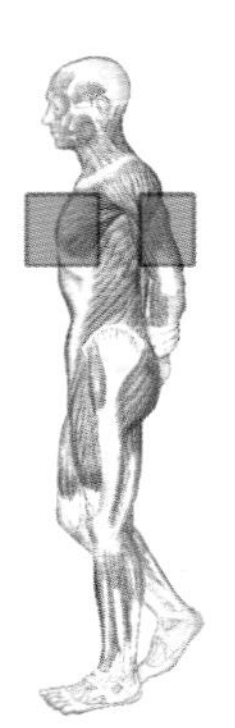

TRÍCEPS
FONDOS EN PARALELAS

Músculos ejercitados:
Tríceps y pecho.

1 Apoyados en las paralelas en su agarre más estrecho, con los brazos totalmente estirados y con las piernas cruzadas por detrás flexionadas por las rodillas.

2 Flexionamos los codos, que apuntan directamente hacia atrás, hasta que los brazos, formen aproximadamente un ángulo de 90° con los antebrazos.

Este ejercicio de fondo exige mucha preparación a nivel físico para mantener la verticalidad del cuerpo sin lesionarse la articulación del hombro.

Retropropulsión del brazo.

CONSEJO

En este ejercicio tendremos cuidado porque se produce también una retropulsión del brazo y esto puede comprometer la articulación del hombro. Si tenemos dificultad para realizarlo, podemos sustituirlo por una variante más sencilla, en la que apoyamos los talones en un banco y las manos en otro a una anchura igual a la de los hombros, y siguiendo el procedimiento antes descrito.

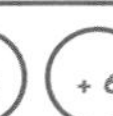

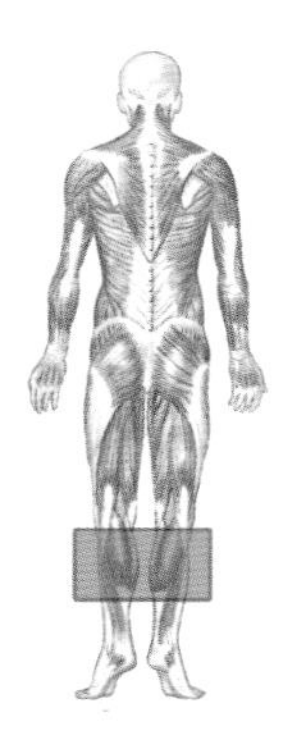

Músculos ejercitados:
Gemelos (gastrocnemio).

GEMELOS

ELEVACIONES A UNA PIERNA

1 En la espaldera y apoyados con un solo pie en un *step* y con el otro pie descansando apoyado por detrás de la pierna que vamos a trabajar, nos sujetaremos con ambas manos a una barra o espaldera para mantener la posición de partida.

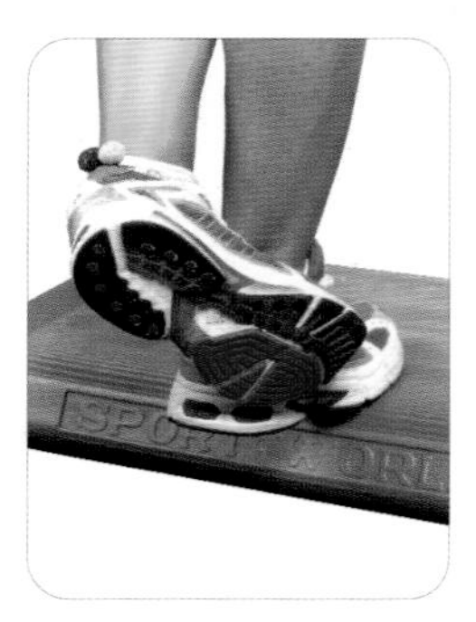

Detalle de la posición de los pies.

2 Desde aquí, elevaremos el talón tanto como podamos y mantendremos arriba un instante para luego descender a la posición inicial.

CONSEJO

Las elevaciones a una pierna se realizan para fortalecer los gemelos, y especialmente al gastrocnemio, uno de los músculos que constituyen el tendón de Aquiles.

3 Repetiremos el ejercicio con la otra pierna el mismo número de veces que hayamos aplicado en la serie anterior.

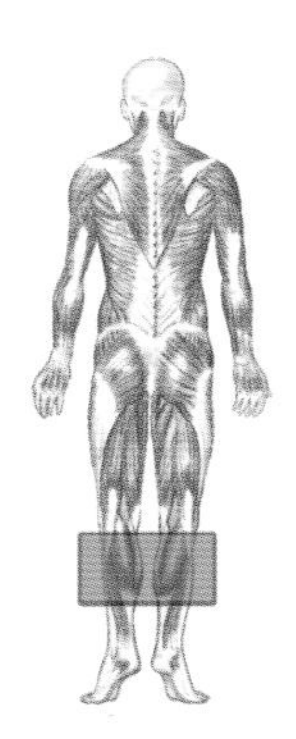

Músculos ejercitados:
Gemelos (sóleo).

GEMELOS
ELEVACIONES SENTADO EN APARATO

Mantener la espalda recta y los abdominales firmes durante la ejecución de la serie, ayudará a definir también la figura y fortalecer la zona lumbar.

1 En el aparato para trabajar el sóleo nos sentamos colocando las rodillas debajo de los soportes y liberamos el peso con la palanca de que dispone el aparato, quedando los pies en flexión dorsal. Esta sería la posición inicial.

2 Desde aquí, y manteniendo los pies paralelos, elevaremos los talones lentamente hasta donde nuestro recorrido articular nos permita.

3 Una vez arriba mantendremos al menos un segundo para luego descender hasta la posición inicial.

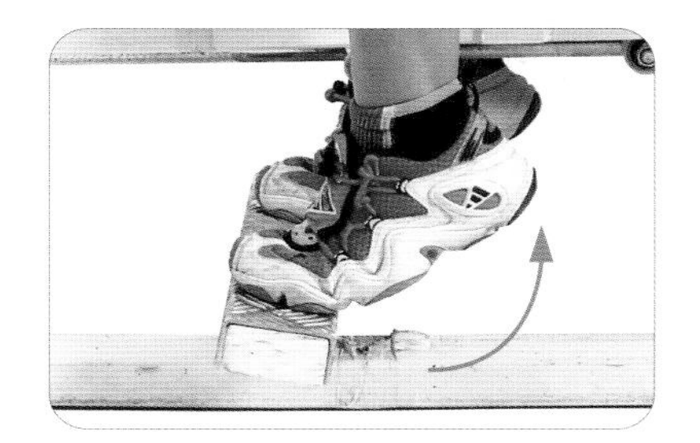

Detalle de la flexión y recorrido de los pies.

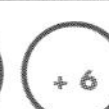

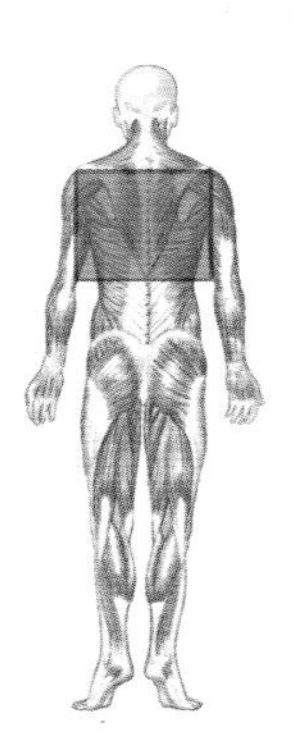

Músculos ejercitados:
Dorsales.

DORSAL
DOMINADAS

1 Colgados en la barra de dominadas, con un agarre prono y amplio, aproximadamente un palmo superior a la anchura de los hombros. Los brazos totalmente estirados y las piernas, por detrás, cruzadas una sobre la otra.

Detalle del entrecruzamiento y desplazamiento de los pies en el ejercicio de dominadas.

2 Con este movimiento la «v» inicial que formaban los brazos estirados se va cerrando progresivamente.
Tiramos apuntando con los codos hacia abajo y ligeramente atrás.

3 Intentamos llegar a tocar la barra con la barbilla y manteniendo en todo momento el pecho hacia fuera, como si intentáramos juntar las escápulas. Después, descenderemos hasta la extensión completa de los brazos.

CONSEJO

Este es un ejercicio de dificultad media-alta, pues nuestro propio peso puede ser excesivo en este estadio de entrenamiento, pero puede realizarse con la ayuda de un compañero que nos sujete por la cintura o por los tobillos.

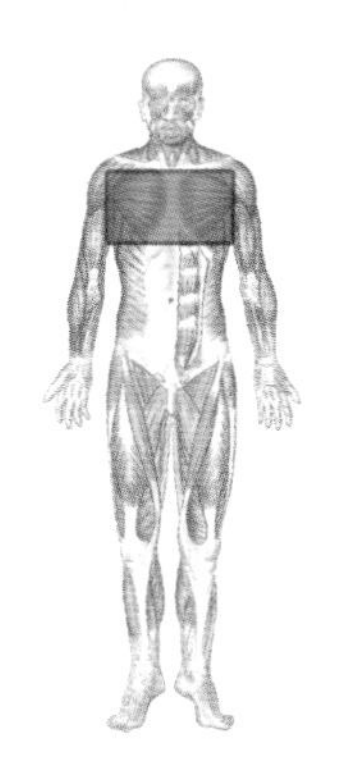

Músculos ejercitados:
Dorsales.

DORSAL
REMO GIRONDA

Este entrenamiento recibe el nombre de su inventor: Vince Gironda.

AGARRE NEUTRO Y RODILLAS SEMIFLEXIONADAS

1 Para realizar este ejercicio nos sentaremos frente a una polea baja y, aunque se pueda hacer con distintos agarres, utilizaremos el más básico, con un maneral estrecho y agarre neutro. Las rodillas deberán estar semiflexionadas y el tronco ligeramente inclinado hacia atrás, con el fin de quitar tensión a los lumbares. En esta postura y suspendiendo el peso con un ligero tirón, nos encontraremos en la posición inicial.

2 Desde aquí tiraremos hacia atrás, manteniendo los codos bajos, el pecho fuera y los hombros atrás.

3 Intentamos apretar las escápulas hasta que el maneral llegue a nuestro abdomen. Mantendremos un momento la contracción y volveremos despacio hasta la posición inicial.

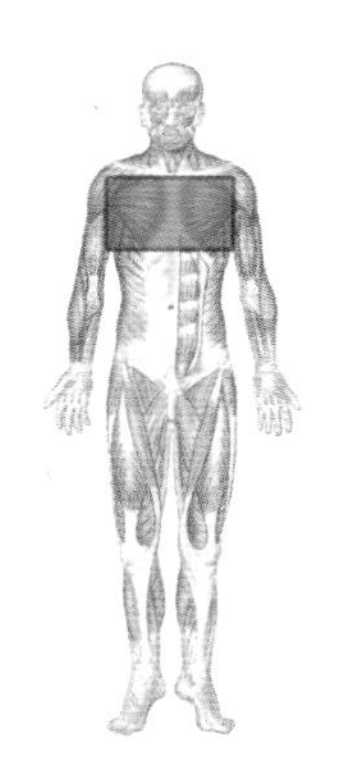

Músculos ejercitados:
Pectorales.

PECHO
PRESS DE BANCA

1 Tumbados en el banco con los pies firmemente apoyados en el suelo y con un agarre amplio, unos 20 o 30 cm superior a la anchura de los hombros; con un empujón o con la ayuda de un compañero, sacamos la barra de su soporte y nos situamos en la posición inicial.

2 Descendemos la barra controladamente hasta que rocemos el pecho y desde aquí volvemos a elevarla sin adelantar en ningún caso los hombros, y manteniendo las escápulas apretadas contra el banco hasta la extensión completa de brazos.

El agarre ha de ser de unos 20 o 30 cm superior a la anchura de los hombros.

CONSEJO

Este ejercicio se puede realizar con los pies apoyados en el banco, con lo que disminuimos la curva de lordosis lumbar, pero la posición es más inestable.

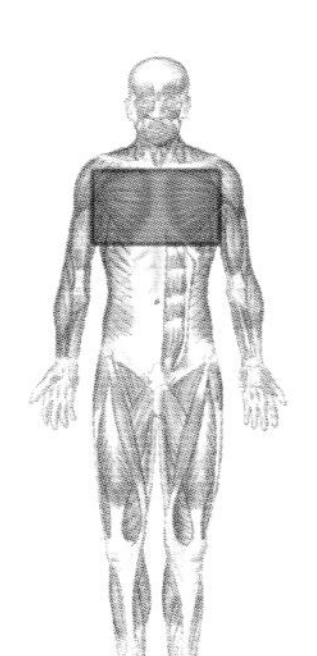

Músculos ejercitados:
Pectorales.

PECHO
ABERTURAS CON MANCUERNAS

1 Tumbados en un banco plano con los pies apoyados en el suelo o, como en el ejercicio anterior, en el borde del banco, sujetaremos las mancuernas con las palmas de las manos enfrentadas.

Las palmas de las manos sujetan firmemente las mancuernas con las palmas enfrentadas. Mantener la espalda recta y completamente apoyada sobre la superficie elegida para ejecutar el ejercicio.

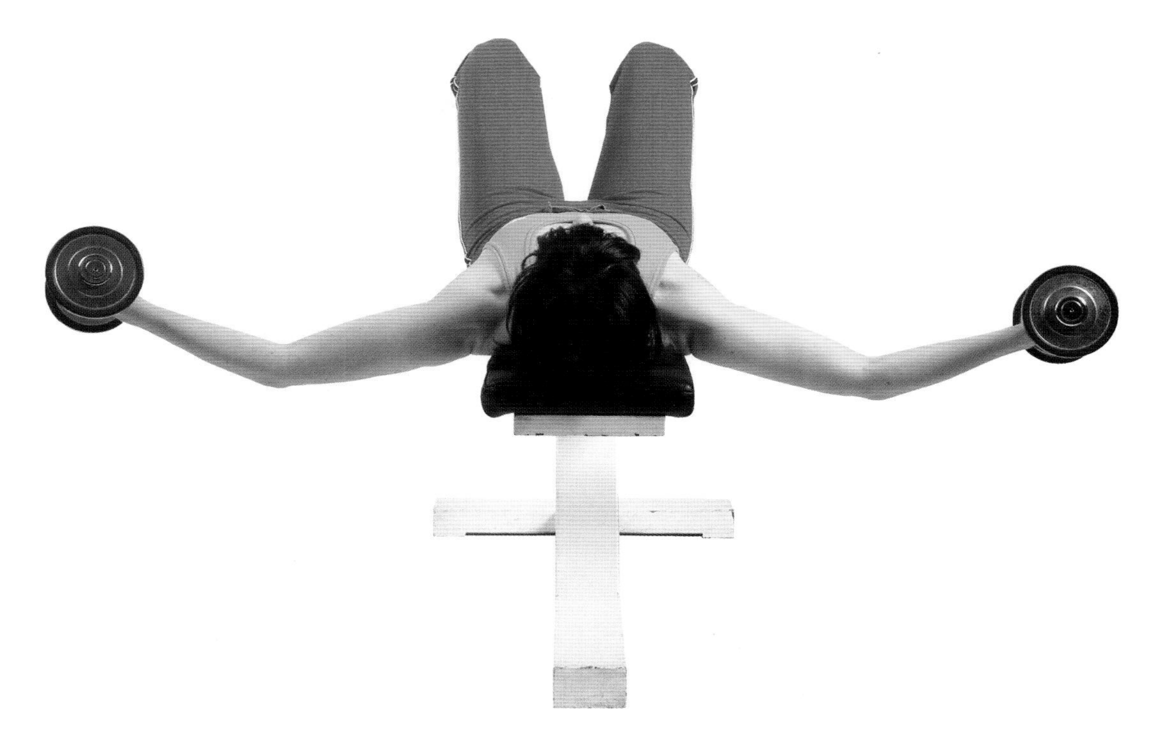

2 Desde esta posición iremos descendiendo el peso a los lados, con los codos ligeramente flexionados, para evitar la acción de la cabeza larga del bíceps, y giraremos simultáneamente las muñecas hasta apuntar con los meñiques al suelo. De este modo conseguimos un mayor estiramiento del pectoral al alejar su punto de inserción en el húmero. Desde aquí volvemos a la posición inicial.

La serie completa simula el vuelo de un pájaro invertido.

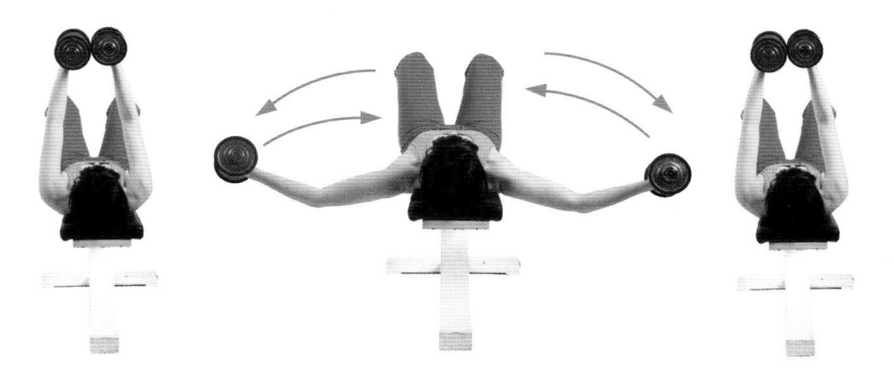

Serie completa de aberturas con mancuernas, para ejercitar los músculos pectorales.

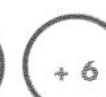

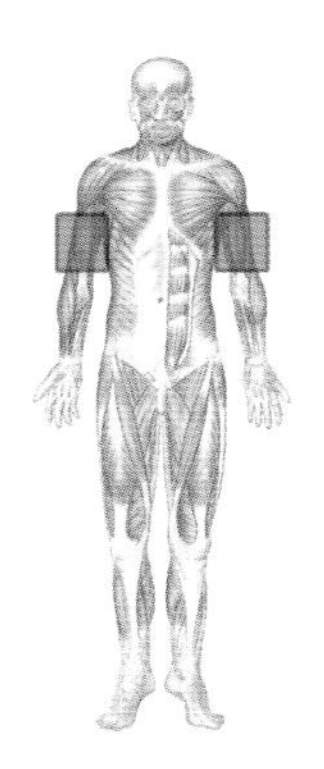

BÍCEPS *CURL* ALTERNO CON MANCUERNAS DE PIE

Músculos ejercitados:
Bíceps braquial.

Mantener las piernas ligeramente separadas para equilibrar el movimiento ejercitado.

La posición inicial de este ejercicio es de pie, con una mancuerna en cada mano y con un agarre supino.

Las mancuernas se sujetan con agarre supino y describirán un recorrido de unos 180°.

2 Elevamos el peso manteniendo el codo fijo. Una vez arriba, contraemos fuerte un segundo y descendemos el peso hasta la posición inicial.

Este ejercicio puede realizarse con un agarre neutro al principio, es decir, con las palmas mirando hacia las caderas y después ir girando al subir la mancuerna para hacer intervenir así a los supinadores del antebrazo.

3 Luego repetimos con el otro brazo hasta completar las repeticiones prescritas.

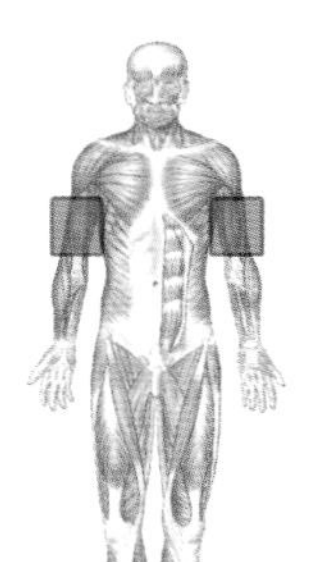

Músculos ejercitados:
Bíceps braquial.

BÍCEPS
CURL EN BANCO SCOTT

Este ejercicio debe su nombre a Larry Scott, quien diseñó el banco en el que se realiza.
La posición de partida exige el apoyo de los pies sobre la máquina y las piernas deben superar la abertura de los hombros para trabajar exclusivamente los brazos.

Sentados en el banco Scott con los codos apoyados en el tapizado y manteniendo la espalda alineada, sujetaremos una barra «Z» por su agarre más estrecho, manteniendo la distancia entre los codos igual a la separación de las manos.

1 Desde la posición anterior, iremos subiendo el peso lentamente hasta la total contracción, que mantendremos un segundo antes de volver a la posición inicial. Después repetiremos hasta completar la serie.

La distancia entre las manos tiene que ser igual a la separación natural de los hombros.

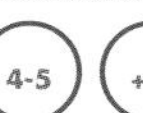

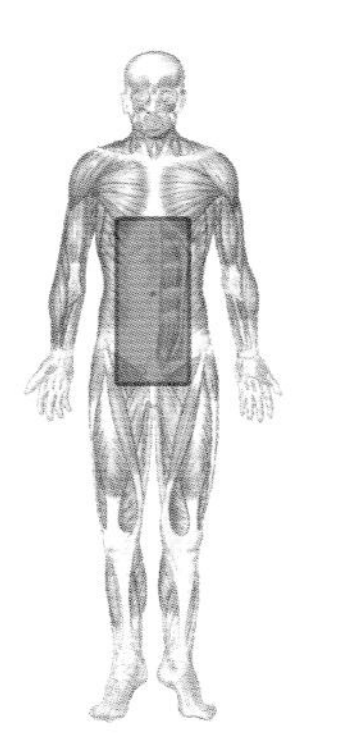
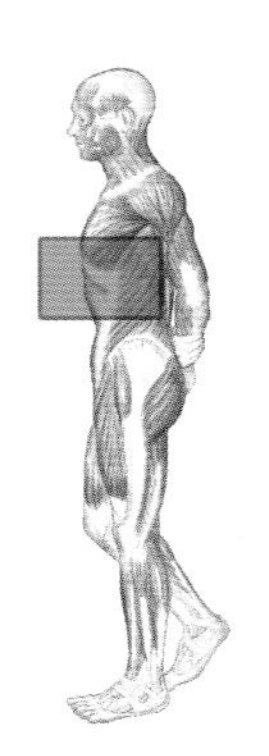

Músculos ejercitados:
Abdominales y oblicuos.

ABDOMINAL
SIT-UPS

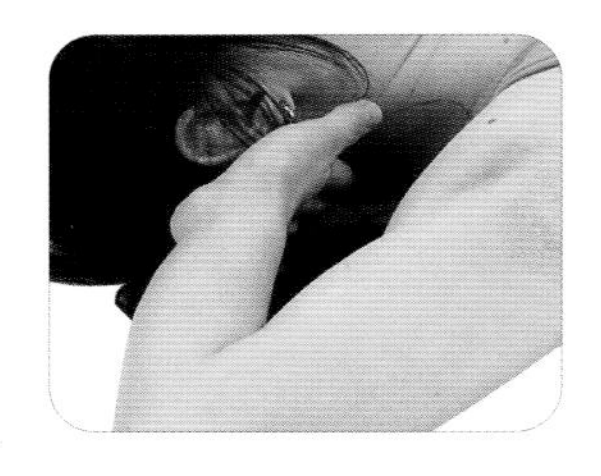

Posición de partida

En la tabla de abdominales tumbados o en el suelo, con las rodillas flexionadas y los pies sin despegarlos de la base. Las manos a los lados de la cabeza o bien cruzadas en el pecho.

CONSEJO

Este es un ejercicio a menudo denostado porque en su ejecución intervienen los flexores de la cadera, sobre todo el recto femoral y el psoas iliaco. Este último en su acción puede forzar la lordosis lumbar, pero aun así se considera que es un ejercicio completo que debe realizarse sin abusar.

2 A partir de la posición inicial mencionada, elevamos el tronco como si nos «enrolláramos» sobre nosotros mismos hasta terminar en la posición de sentados.
Una vez sentados, mantendremos la contracción como en cualquier ejercicio y descenderemos después «desenrollándonos» hasta la posición inicial.

CONSEJO

Para que este ejercicio de abdominales se ejecute de forma correcta, la zona lumbar debe permanecer en contacto con el suelo y evitar su curvatura. Se recomienda que la ejecución del ejercicio sea lenta y que la flexión no sea brusca ni excesivamente exagerada.

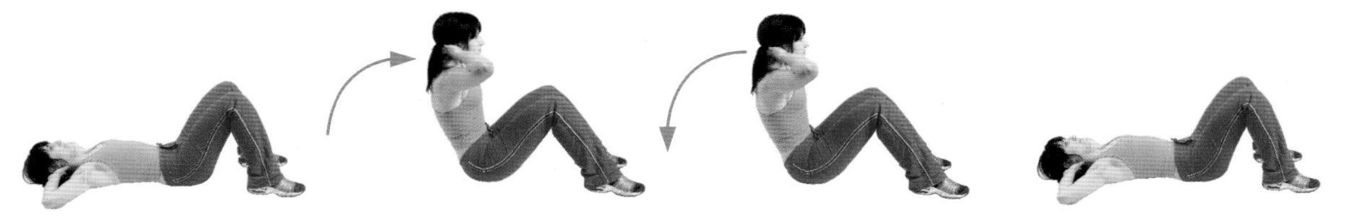

Serie completa de sit-ups, para ejercitar los músculos abdominales y oblicuos.

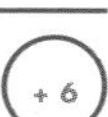

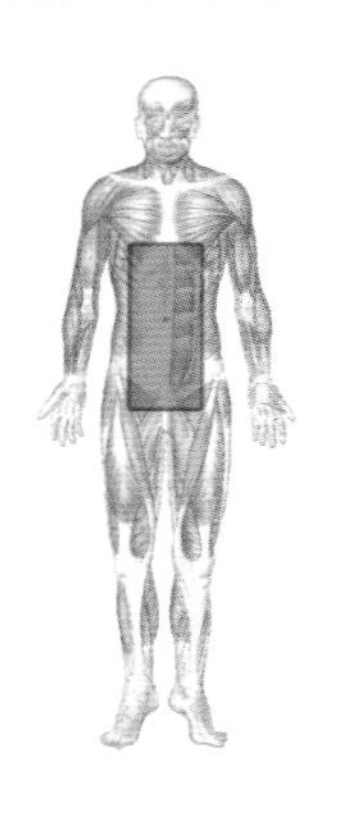

Músculos ejercitados:
Recto abdominal.

ABDOMINAL
ELEVACIONES DE PIERNAS TUMBADOS

Tradicionalmente este se ha considerado un ejercicio para el abdominal inferior, aunque en la actualidad, no se habla de un abdominal superior y de uno inferior, sino del recto abdominal. Un único músculo que nace en el esternón y las últimas costillas y se inserta en el pubis, por lo que aunque localicemos el trabajo más en uno de sus extremos, siempre se estará trabajando con el otro.

1 Tumbados en la tabla de abdominales con las manos bajo los glúteos para estabilizar las caderas o sujetándonos al banco y las piernas juntas elevadas 45°.

2 Desde la posición anterior, elevamos las piernas hasta sobrepasar la vertical con retroversión de la pelvis, así conseguiremos mayor acortamiento del abdominal. Después volveremos a bajar hasta los 45°, no superando esta inclinación para limitar la acción de los flexores de la cadera.

CONSEJO

Fortalecer los músculos abdominales es el planteamiento más saludable cuando el estrés y las malas costumbres han debilitado nuestra espalda.

Detalle de la angulación para no forzar los flexores de la cadera.

ENTRENAMIENTO

CUARTO Y QUINTO MES 4-5

Durante estas ocho semanas la división muscular aumenta, siendo tres las rutinas y mayor, por tanto, el número de ejercicios y series para cada grupo muscular. Para este momento del entrenamiento, hemos elegido una combinación muy extendida, atendiendo a la siguiente distribución:

- El primer día para trabajar piernas y bíceps.
- El segundo día se entrena pecho y dorsal.
- El tercer día se hace la preparación de hombros y tríceps.

Ejercicio de elevaciones con talón, para ejercitar los músculos gemelos.

Pero como vimos en los meses anteriores, se pueden probar otras combinaciones; lo que sí procuraremos respetar siempre es el número total de series que hagamos para cada grupo muscular, observando una proporcionalidad, que atiende al tamaño del grupo muscular y a la variedad de ángulos en que éste actúa. Así pues, proponemos, como puede verse en el esquema, un total de 14 series para las piernas, 12 para pecho, dorsal y hombros, nueve para tríceps y ocho para bíceps.

También aconsejamos alternar los ejercicios propuestos en este entrenamiento con los vistos en los meses anteriores, para dar así mayor variedad.

El fortalecimiento de dorsales se puede lograr con ejercicios de remo.

En cuanto al calentamiento, los estiramientos y el número de repeticiones seguiremos las pautas de los planes anteriores.

Los abdominales y gemelos encajan en cualquier rutina, pero por ejemplo podemos hacer el gemelo el día de pierna y los abdominales el día de hombro-tríceps, por ser este el día de menor número total de series.

Este entrenamiento puede servir para tres o cuatro días por semana. Si son tres, seguiremos la secuencia: A-B-C. Si son cuatro: A-B-C-A y comenzaremos la semana siguiente con la B y así sucesivamente.

Esquema del cuarto y quinto mes

Rutina A

Grupo muscular	Ejercicio	Series
Pierna	Extensiones	3
	Sentadilla	4
	Sentadilla Hack	4
	Curl femoral	3
Bíceps	*Curl* con mancuernas sentado	4
	Curl concentrado con mancuernas	4
Gemelos	Gemelos en la prensa	3
	Elevaciones de talones sentado	3

Rutina B

Grupo muscular	Ejercicio	Series
Pecho	*Press* superior en *multipower*	4
	Press declinado con barra	4
	Peck-deck	4
Dorsal	Jalones al pecho	4
	Remo con mancuerna	4
	Peso muerto	4

Rutina C

Grupo muscular	Ejercicio	Series
Hombro	*Press* militar	3
	Press con mancuerna sentado	3
	Pájaros	3
	Remo al cuello	3
Tríceps	Tirones en polea	3
	Press cerrado en *multipower*	3
	Elevación a una mano	3
Abdominales	Encogimientos con cuerdas	3
	Oblicuos tumbado	3

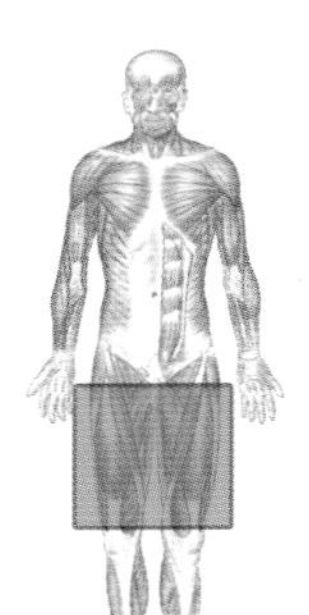

PIERNAS
EXTENSIONES DE RODILLA EN MÁQUINA

Este ejercicio ya lo vimos en entrenamientos anteriores, pero es muy importante en esta rutina para poner a punto las rodillas y para preagotar los cuádriceps, y así no tener que utilizar tanto peso en la sentadilla.

Músculos ejercitados: Cuadríceps (vastos medio, lateral e interno y recto femoral).

1 Sentado en la máquina, con la espalda muy recta y bien apoyada en el respaldo, los brazos completamente estirados hasta el agarre del aparato y con el rodillo sobre las tibias, justo por encima de los tobillos.

2 Elevaremos los pies hasta extender totalmente las rodillas y mantendremos la posición un instante.

3 Volver a la posición inicial, realizando todo el recorrido que el aparato nos permita.

El recorrido de los pies es de 45° aproximadamente y en su recorrido no deben despegarse del peso.

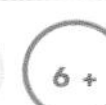

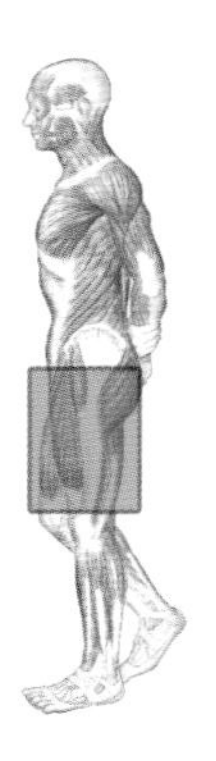

PIERNAS

SENTADILLA

Este es un ejercicio muy completo, ya que en él utilizamos los mayores músculos de nuestro cuerpo. Al ser biarticular, trabajamos los extensores de rodillas y caderas al mismo tiempo.

Músculos ejercitados:
Cuadríceps, isquiotibiales y glúteos.

Se inicia el ejercicio de pie, con la barra apoyada en el trapecio y los pies separados a la anchura de los hombros.

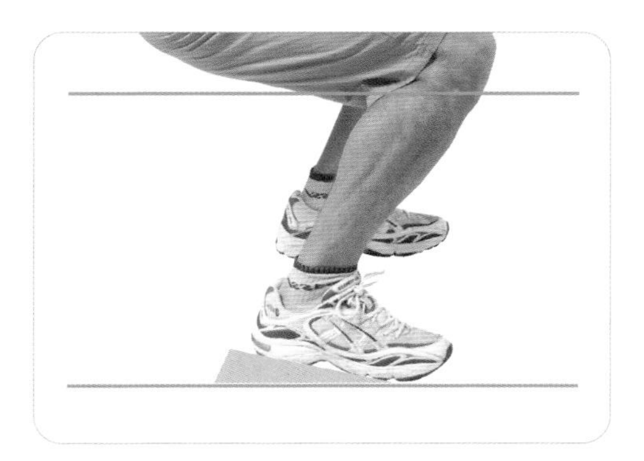

Si al bajar no tenemos suficiente flexibilidad en el talón de Aquiles, podemos utilizar una cuña.

2 Descendemos flexionando rodillas y caderas al mismo tiempo, manteniendo éstas apretadas y conservando la doble «S» de nuestra columna en todo momento. La línea vertical imaginaria que va de nuestras rodillas al suelo no superará más de 5 o 7 cm a la punta de nuestros pies, ya que si no aumentaríamos demasiado la tensión sobre las rodillas. Tampoco flexionaremos demasiado la cadera porque la tensión se desplazaría a los lumbares. Bajaremos hasta que los muslos estén paralelos al suelo, y sin despegar los talones del suelo y desde aquí, volveremos a la posición inicial.

CONSEJO

La función esencial del cuadríceps es facilitar la extensión de la rodilla y evitar que la rótula se desplace de su sitio. Para evitar su envejecimiento, hay que entrenar dicho músculo de forma aislada.

La elección del peso levantado con la barra no es casual, sino que viene determinado por la forma física adquirida en las rutinas anteriores y en el objetivo a alcanzar en el propio entrenamiento de musculación.

Serie completa de sentadillas para ejercitar los cuadríceps, los isquiotibiales y los glúteos.

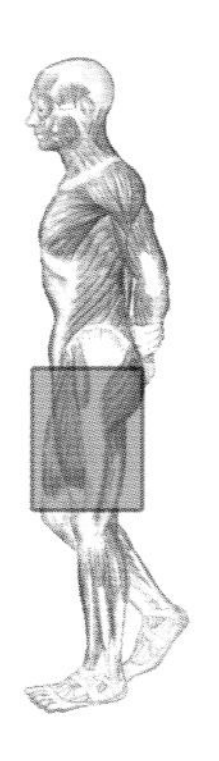

Músculos ejercitados:
Cuadríceps, isquiotibilales y glúteos.

PIERNAS
SENTADILLA HACK

Este es un ejercicio parecido al anterior pero que permite, al variar la posición de los pies más o menos adelantados, incidir más en los extensores de la cadera o de las rodillas, respectivamente.

1 Apoyados en la máquina Hack con los pies apuntando al frente y con una separación igual a la anchura de los hombros –los hombros debajo de los soportes–, empujamos firmemente para elevar el peso, adquiriendo así lo que será la posición inicial.

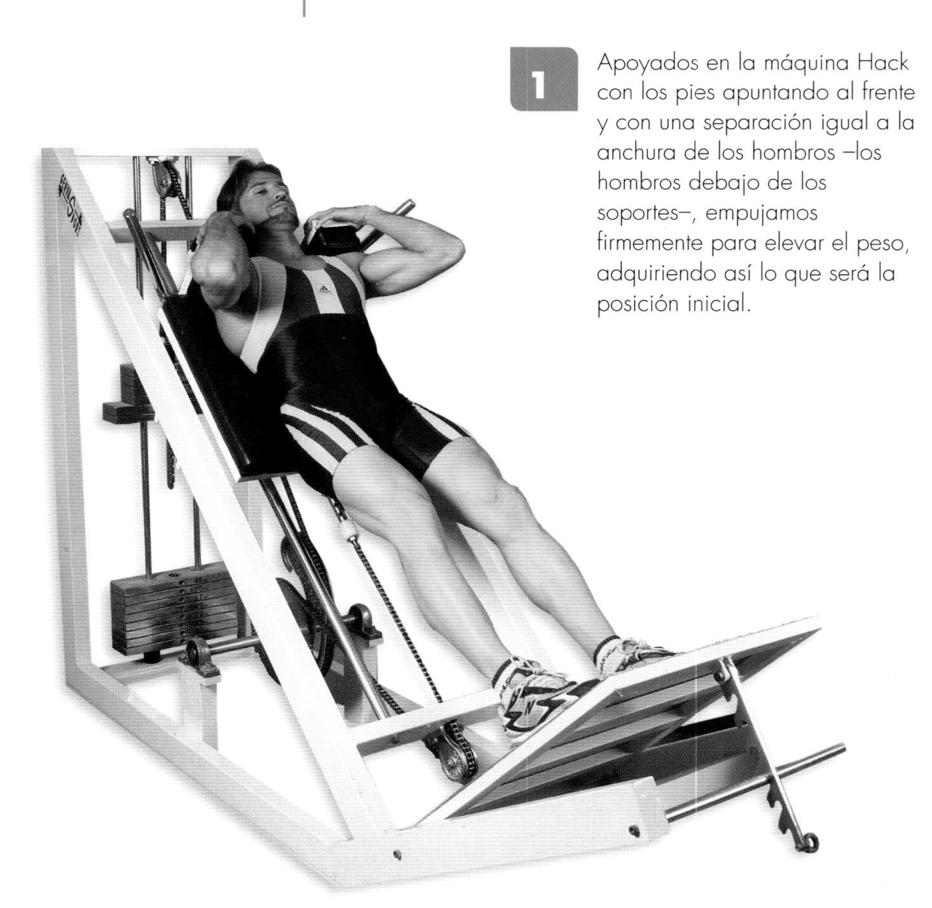

2 Descendemos lentamente manteniendo la espalda firme contra el respaldo y los pies apoyados en toda su planta.

3 Cuando los muslos formen un ángulo de 90° con respecto al tronco, desde aquí volvemos a la posición inicial.

CONSEJO

Una variante de este ejercicio consiste en no estirar nunca del todo las rodillas, así mantenemos la tensión muscular y disminuye la presión sobre los meniscos.

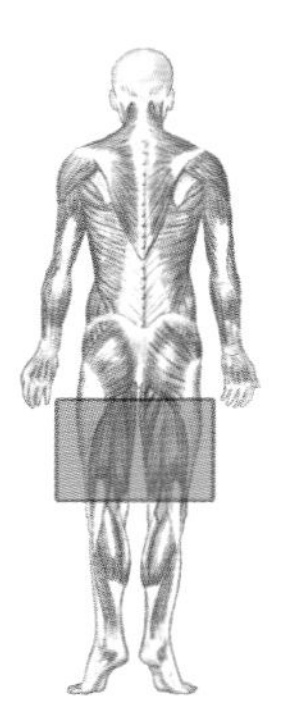

Músculos ejercitados:
Isquiotibiales (bíceps, femoral, semimembranoso y semitendinoso).

PIERNAS
CURL FEMORAL TUMBADO

1 Procederemos para comenzar este ejercicio igual que en rutinas anteriores. Tumbados en el aparato con el rodillo apoyado en la parte baja de los gemelos.

CONSEJO
Las posiciones que hay que tomar, para el entrenamiento de isquiotibiales, deben producir una tensión, pero nunca dolor.

2 Flexionaremos la rodilla tanto como podamos.

3 Mantenemos la contracción un momento antes de volver a la posición inicial. Repetimos las veces necesarias.

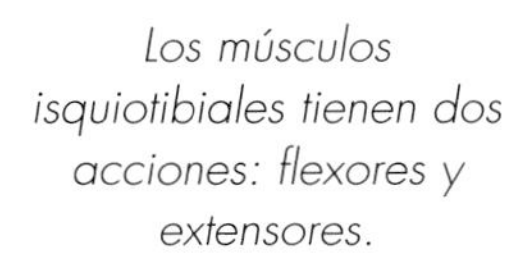

Los músculos isquiotibiales tienen dos acciones: flexores y extensores.

RUTINA A: PIERNAS • BÍCEPS • GEMELOS

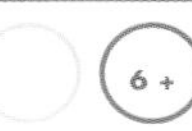

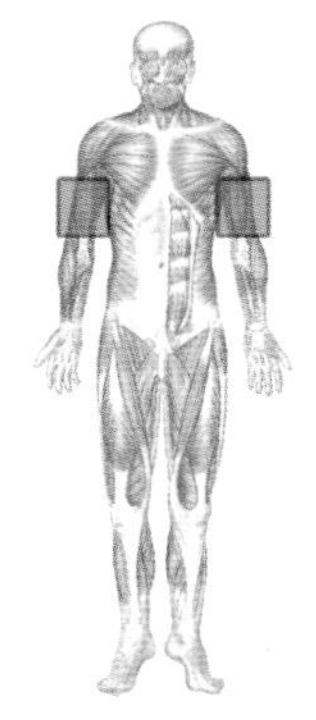

Músculos ejercitados:
Bíceps.

BÍCEPS

CURL CON MANCUERNAS SENTADO

1 Sentados en un banco inclinado unos 20° o 30° con una mancuerna en cada mano y los brazos colgando a los lados, con las palmas mirando hacia adentro.

CONSEJO

Este ejercicio se debe hacer manteniendo todos los músculos en apoyo, excepto los que se quieran trabajar.

2 Flexionamos despacio a la vez que vamos girando las mancuernas hasta que las manos terminen en posición supina al final del ejercicio y manteniendo los codos atrasados, para localizar el trabajo en la parte alta de los bíceps.
Mantendremos la contracción un instante antes de volver abajo.

El brazo que cuelga realizará un giro para que las manos se sitúen en posición supina.

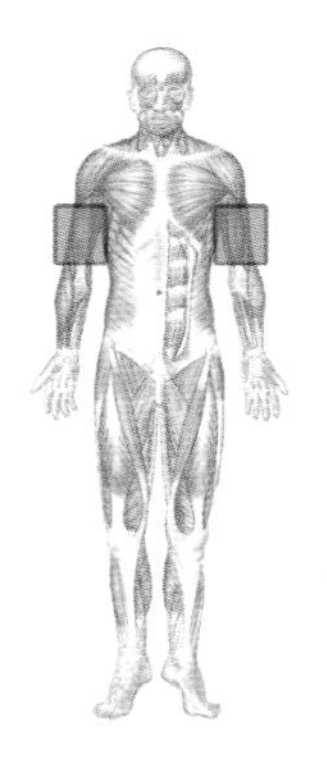

Músculos ejercitados:
Bíceps braquial.

BÍCEPS
CURL CONCENTRADO CON MANCUERNAS

POSICIÓN DE PARTIDA DEL BRAZO

1 Sentados en el extremo de un banco con las piernas separadas, sujetaremos una mancuerna con una mano mientras la otra se apoya en la rodilla contraria. El brazo que soporta la mancuerna se apoya en la cara interna del muslo, cerca de la rodilla, mientras el codo sobresale ligeramente por debajo.

2 Desde aquí iremos subiendo el peso mirando con la palma de la mano hacia el hombro. Subiremos tanto como podamos, sin balancear los hombros, y después iremos bajando despacio hasta la posición inicial. Al terminar la serie, repetiremos el mismo procedimiento con el otro brazo.

CONSEJO

Para que el ejercicio sea efectivo, hay que mantener la tensión durante todo el recorrido y tener la precaución de no hiperextender el codo en el momento del descenso.

Serie completa de curl concentrado con mancuernas, para ejercitar el bíceps braquial.

RUTINA A: PIERNAS • BÍCEPS • GEMELOS

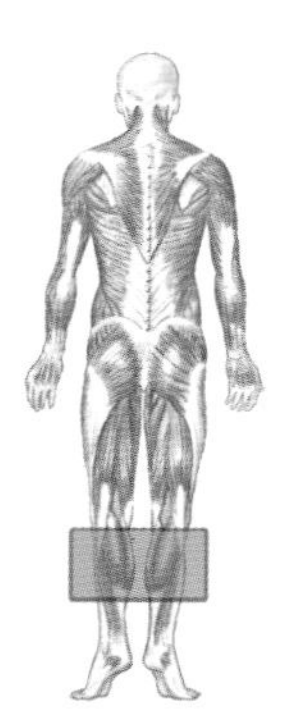

Músculos ejercitados:
Gemelos (sóleo y gastrocnemio).

GEMELOS
GEMELOS EN LA PRENSA

1 Tumbados en la máquina de prensa, sujetando firmemente los manerales, con las piernas extendidas y apoyando sólo la punta de los pies en el extremo inferior de la plataforma. Estaremos aquí en la posición inicial.

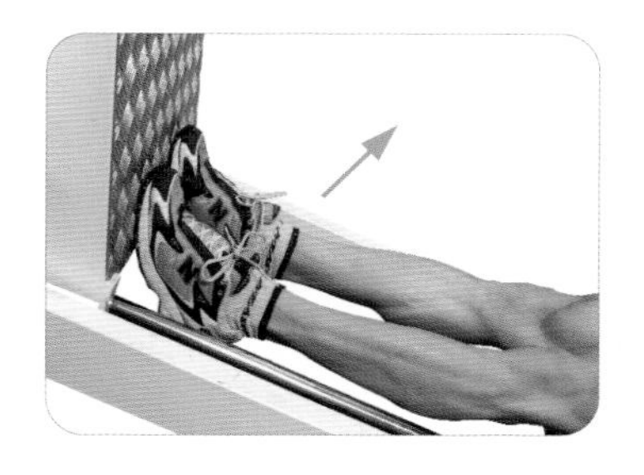

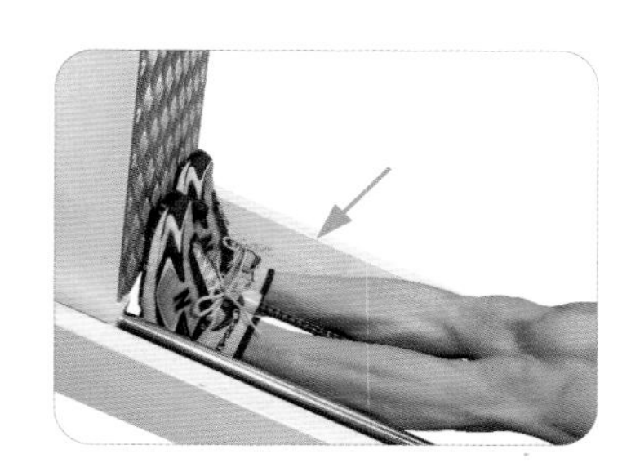

Detalle del movimiento de los pies, en el ejercicio de gemelos en la prensa.

2 Desde aquí efectuaremos flexión plantar sin doblar en ningún momento las rodillas hasta que tengamos los pies totalmente estirados y los gemelos contraídos.

3 Tras mantener esta contracción un segundo, volveremos por flexión dorsal del pie a la posición inicial.

CONSEJO

Para realizar este ejercicio de gemelos, sólo hay que apoyar la punta de los pies, con el fin de ejercitar el gastrocnemio y el sóleo que constituyen una unidad funcional, dentro de los músculos caudales de la pierna, y que participan en la extensión del tarso y en la flexión de los dedos.

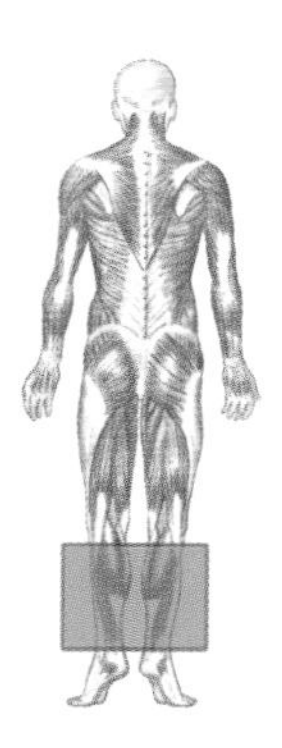

Músculos ejercitados:
Gemelos (sóleo).

GEMELOS
ELEVACIONES DE TALONES SENTADO

Se trata del mismo ejercicio realizado en el segundo y en el tercer mes.

El apoyo sobre el sacro debe ser completo.

1 En el aparato para trabajar el sóleo nos sentamos con las rodillas debajo de los soportes y liberamos el peso con la palanca de que dispone el aparato, quedando de esta manera los pies en flexión dorsal. Esta sería la posición inicial.

2 Desde aquí, y manteniendo los pies paralelos, elevaremos los talones lentamente hasta donde nuestro recorrido articular nos permita; una vez arriba, mantendremos al menos un segundo para luego descender hasta la posición inicial.

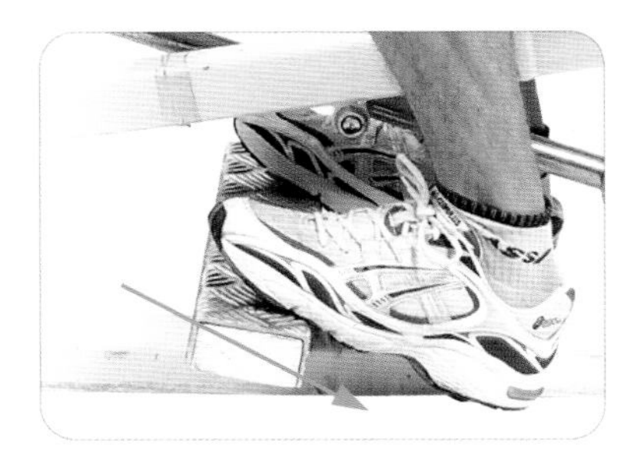

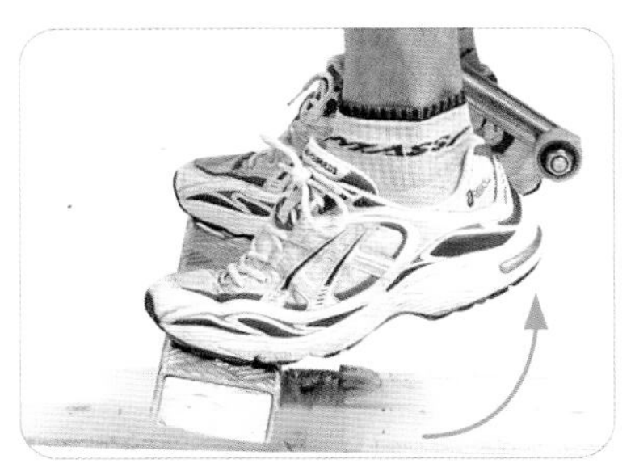

Detalle de la flexión y recorrido de los pies en las elevaciones de talón sentado.

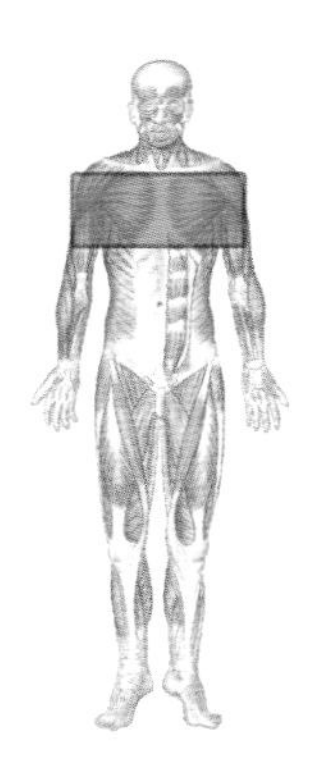

Músculos ejercitados:
Pectorales (especialmente haz superior), tríceps y deltoide anterior.

PECHO
PRESS SUPERIOR EN *MULTIPOWER*

Este ejercicio puede realizarse indistintamente con una barra libre o en el *multipower*. El interés de este aparato está en que su diseño permite un mayor recorrido y por tanto mayor elongación del pectoral.

1 Tumbados en un banco inclinado 45° bajo la barra del *multipower* con un agarre amplio, elevaremos el peso con un empujón o con la ayuda de un compañero y así alcanzaremos la posición inicial.

2 Descenderemos la barra poco a poco apuntando con los codos directamente al suelo hasta que la barra toque la parte alta del pecho, cerca del cuello.

3 Desde la posición anterior, subiremos hasta la extensión total de los codos e intentando no adelantar los hombros; para ello mantendremos las escápulas apretadas contra el banco.

CONSEJO

Intentar mantener la vista fija sobre la barra nos ayudará a que los hombros se mantengan en su posición y no se adelanten.

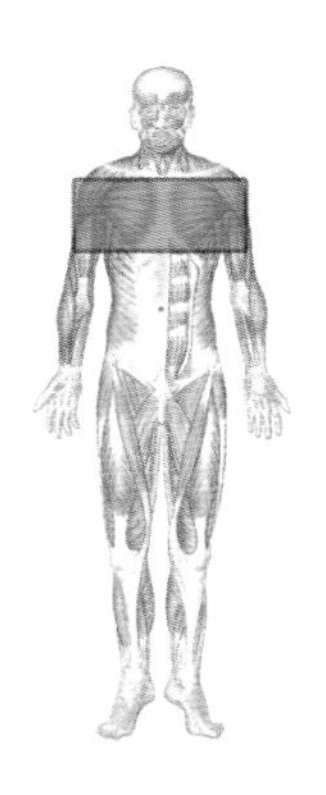

Músculos ejercitados:
Pectoral (haz inferior) y tríceps.

PECHO
PRESS DECLINADO CON BARRA

1 Tumbados en el banco declinado con los pies sujetos en los rodillos y con un agarre un palmo superior a la anchura de los hombros, empujaremos la barra hasta liberar el peso de su soporte.

2 Descendemos el peso con los codos apuntando verticales al suelo. En este ejercicio cuanto más hacia el cuello dirijamos la barra, mayor estiramiento del pectoral conseguiremos, pero con llegar a la línea media del pecho será suficiente. Desde la posición anterior, subiremos hasta la posición inicial.

A mayor estiramiento del pectoral, por aproximación al cuello, existe mayor riesgo de luxación.

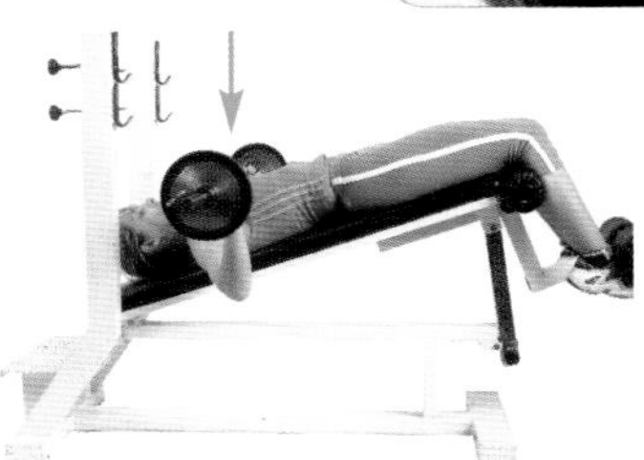

Serie completa de press declinado con barra, para ejercitar el pectoral.

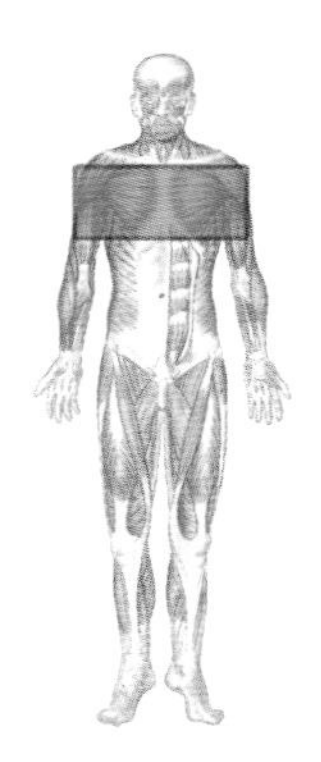

Músculos ejercitados:
Pectorales.

PECHO
PECK-DECK (CONTRACTOR)

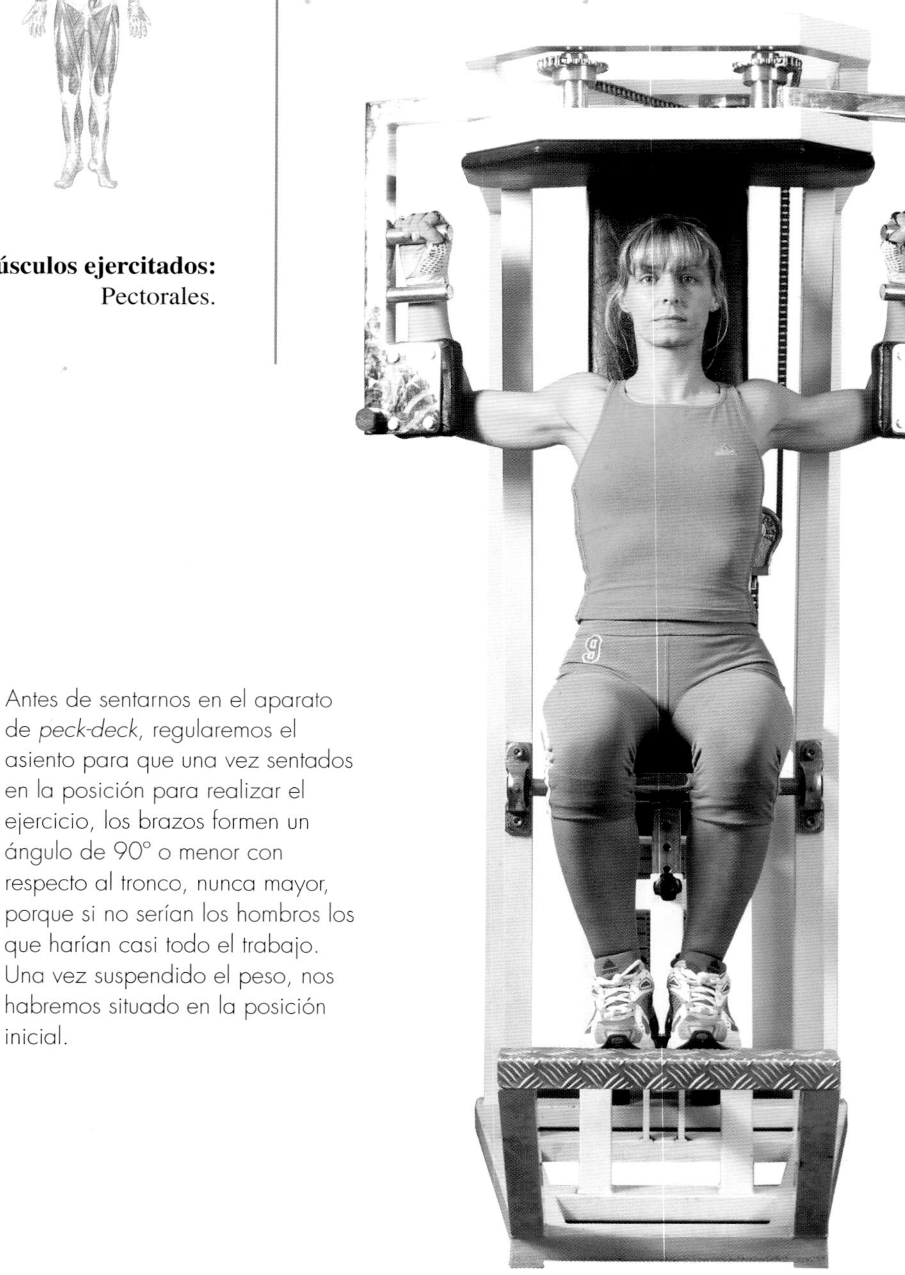

1 Antes de sentarnos en el aparato de *peck-deck*, regularemos el asiento para que una vez sentados en la posición para realizar el ejercicio, los brazos formen un ángulo de 90° o menor con respecto al tronco, nunca mayor, porque si no serían los hombros los que harían casi todo el trabajo. Una vez suspendido el peso, nos habremos situado en la posición inicial.

2 Desde aquí, empujaremos con los codos hasta juntar los tacos de goma de que dispone el aparato, manteniendo la contracción un segundo, y después volveremos hacia atrás hasta conseguir un estiramiento agradable de los pectorales.

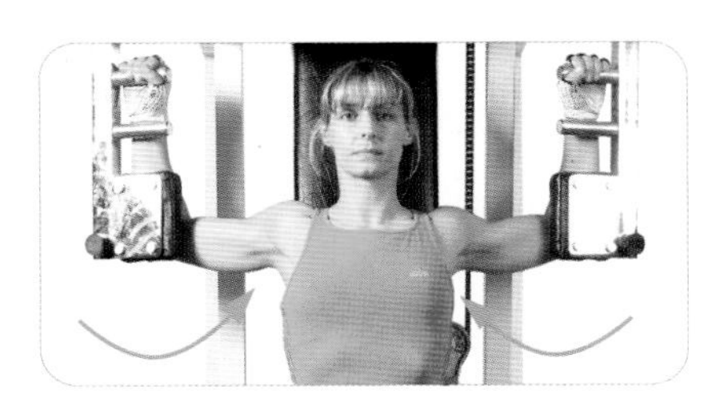

Angulación y recorrido de los brazos en el ejercicio peck-deck.

CONSEJO

En el entrenamiento femenino, a la vez que entrenamos los músculos pectorales, también entrenamos las mamas, con lo que se consigue reafirmar y realzar el pecho.

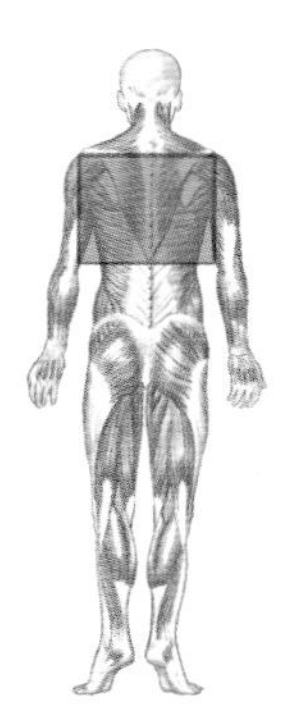

DORSAL

JALONES AL PECHO EN POLEA

Músculos ejercitados:
Dorsales (dorsal ancho, teres, redondo y romboide).

1 Sentados frente a la polea con las piernas sujetas bajo los rodillos, cogemos el maneral con un agarre amplio y neutro; es decir, las palmas de las manos mirándose entre sí. Con la espalda y los brazos estirados, estaremos en la posición inicial, con el peso suspendido.

2 Tiraremos con ambos brazos con los codos apuntando hacia abajo y ligeramente hacia atrás, manteniendo la espalda estirada, juntando las escápulas.

3 Proyectamos el pecho hacia delante y arriba, hasta rozar con la barra la parte superior del pectoral y habremos llegado a la posición final. Después liberamos la tensión acumulada con el movimiento paulatinamente, volvemos a la posición inicial y habremos completado una repetición.

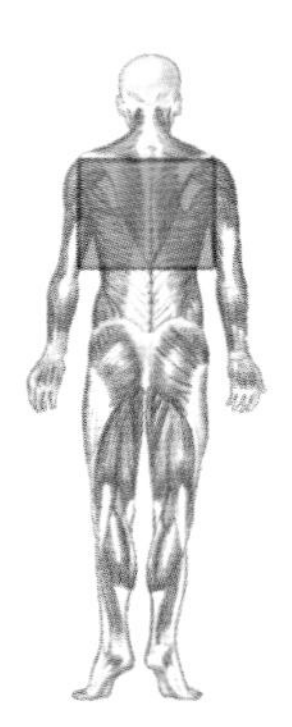

DORSAL
REMO CON MANCUERNA

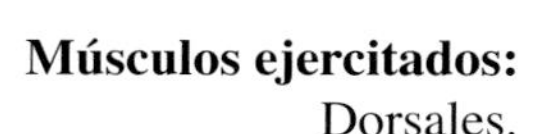

Músculos ejercitados:
Dorsales.

1 En un banco horizontal, con la rodilla apoyada en el banco y la otra pierna en el suelo suficientemente separada del banco para estar equilibrados. Una mano apoyada en el banco y la otra sujetando una mancuerna con el brazo perpendicular al suelo.

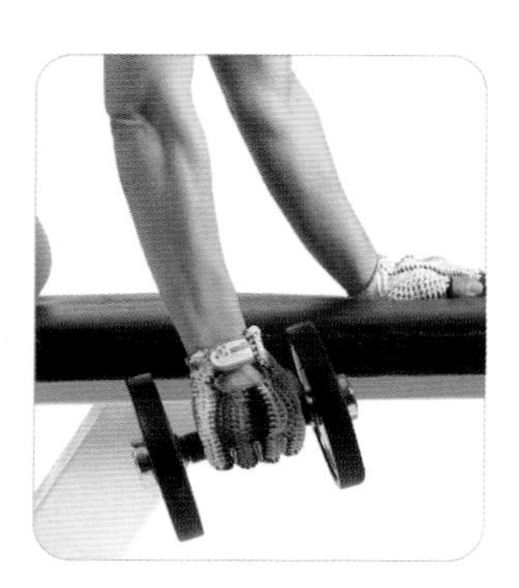

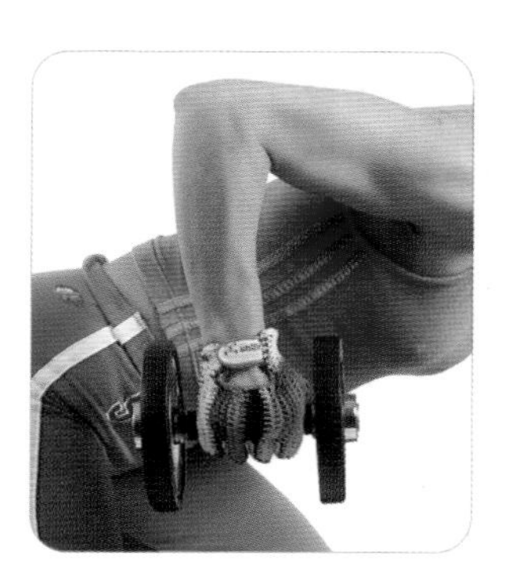

La posición del brazo que sujeta la mancuerna debe ser perpendicular al suelo.

2 Desde la posición anterior, tiramos del peso hacia arriba mientras mantenemos la espalda plana y los hombros alineados. El codo que asciende se mantendrá próximo a la cintura en todo momento, hasta que lleguemos a tocar el oblicuo de ese lado. Iremos alternando una serie con cada brazo hasta completar el total previsto.

CONSEJO

Para realizar este ejercicio de remo con mancuerna, hay que tener los hombros y la espalda rectos en todo momento. Para ello, es necesario flexionar las dos piernas y cargar el peso sobre la que se apoya en el banco; es decir, el lado contrario que soporta el peso, para que haya un equilibrio.

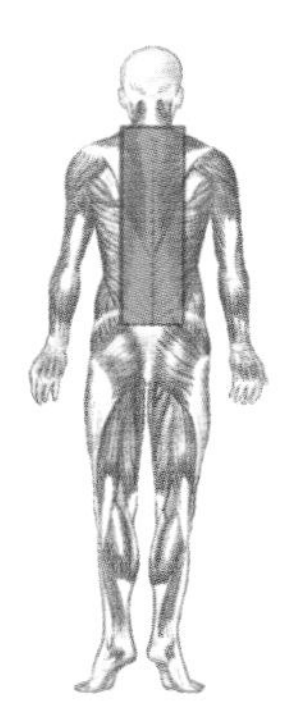

DORSAL
PESO MUERTO

1 De pie, con las piernas ligeramente separadas, sujetando una barra sobre la parte alta de los muslos, con un agarre mixto y las manos separadas la anchura de los hombros.

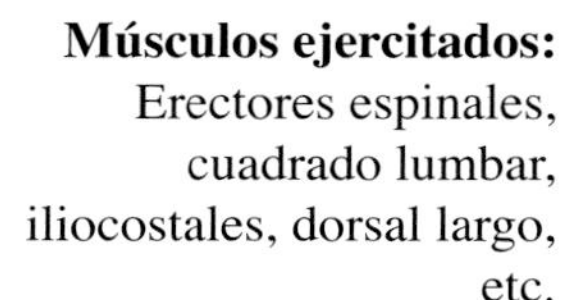

CONSEJO
En el ejercicio de peso muerto, durante la flexión de caderas hay que tener la espalda muy recta durante todo el recorrrido y que el peso esté distribuido de forma simétrica; para esto es necesario mantener apoyada toda la planta del pie a lo largo de la ejecución del ejercicio y evitar el trabajo con sobrepeso.

Posición de los pies y los hombros, visto desde la cara anterior.

2 Iremos descendiendo el peso mediante flexión de caderas, que permanecerán apretadas, y con la espalda plana durante todo el recorrido. Hay que imaginar que tenemos la bisagra en la articulación iliaco-femoral. A la vez que descendemos, soltamos las rodillas para eliminar la tensión de los isquiotibiales. Flexionaremos mientras podamos mantener la espalda perfectamente alineada (esto suele ser hasta que la barra sobrepasa ligeramente las rodillas) y desde aquí volveremos a la posición inicial.

La espalda se mantiene alineada, hasta que la barra sobrepasa las rodillas.

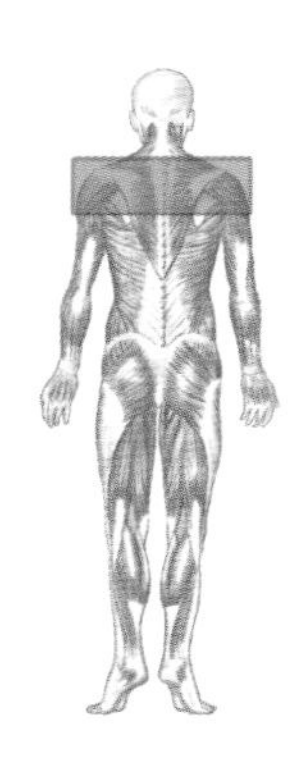

Músculos ejercitados:
Deltoides (porción anterior) y trapecio.

HOMBROS
PRESS MILITAR

En el entrenamiento de los hombros hemos decidido realizar mayor número de ejercicios, pero menos de series, para en total hacer las mismas que para pecho o dorsal, debido a la gran movilidad de esta articulación y el gran número de ángulos en los que se puede trabajar. Además, incluiremos aquí el entrenamiento del trapecio que en otros programas podemos encontrar dentro del entrenamiento de espalda. Esto, como en otros muchos aspectos, dependerá de las preferencias personales de cada uno.

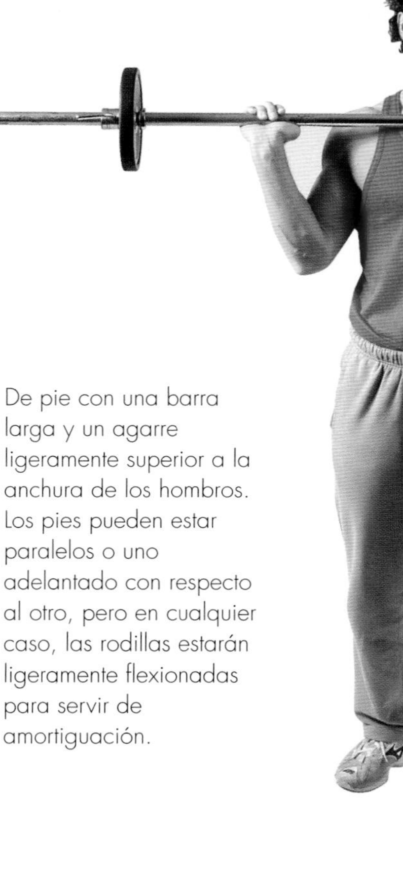

1 De pie con una barra larga y un agarre ligeramente superior a la anchura de los hombros. Los pies pueden estar paralelos o uno adelantado con respecto al otro, pero en cualquier caso, las rodillas estarán ligeramente flexionadas para servir de amortiguación.

Adelantar un pie durante la ejecución del movimiento facilita el equilibrio postural.

2 Desde la posición anterior, elevamos la barra, hasta que quede sobre la cabeza, y con los bien codos extendidos habremos completado la repetición.

El agarre tiene que tener una anchura superior a los hombros.

CONSEJO

Es muy importante el entrenamiento de los hombros porque contribuye a mejorar la postura. Al realizar el *press militar* hay que tener la precaución de extender los brazos en su totalidad sin bloquearlos en ningún momento, para evitar lesiones articulares.

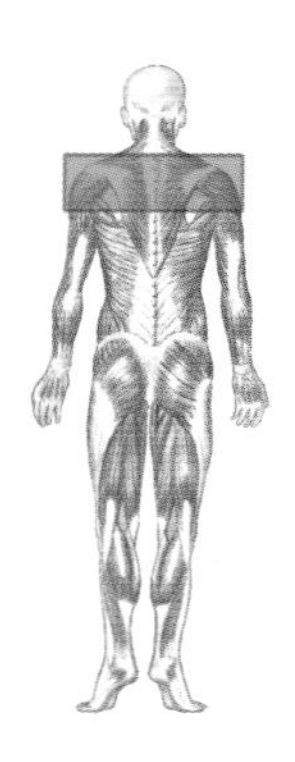

Músculos ejercitados:
Deltoides (porciones media y anterior) y trapecios (parte alta).

HOMBROS
PRESS CON MANCUERNAS SENTADO

1 Sentados en un banco con el respaldo casi vertical, los pies firmemente apoyados en el suelo y separados, sujetaremos dos mancuernas a la altura de los hombros con un agarre prono, de manera que los discos de las mancuernas rocen los hombros. Estaremos así en la posición inicial, listos para la primera repetición.

CONSEJO
El entrenamiento de hombros con *press* de mancuernas permite trabajar los grupos musculares de forma alterna y ofrece la ventaja de poder realizar un recorrido mayor que los ejercicios de barra.

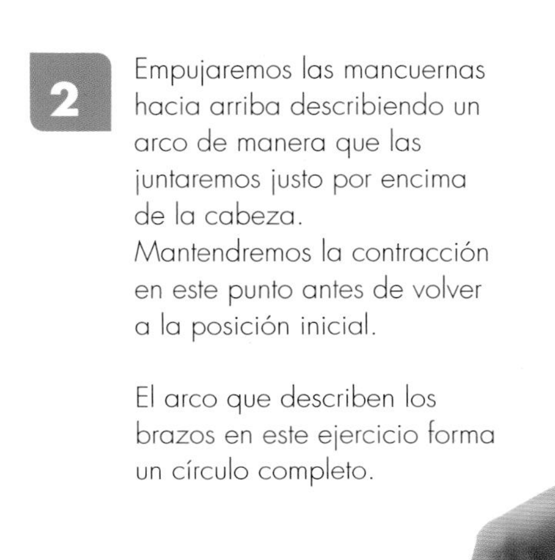

2 Empujaremos las mancuernas hacia arriba describiendo un arco de manera que las juntaremos justo por encima de la cabeza.
Mantendremos la contracción en este punto antes de volver a la posición inicial.

El arco que describen los brazos en este ejercicio forma un círculo completo.

Serie completa de press *con mancuernas sentado, para ejercitar los músculos deltoides y trapecios.*

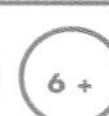

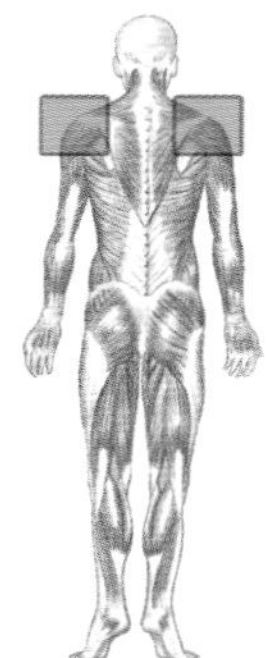

HOMBROS
PÁJAROS

En el entrenamiento de musculación, se llama «Pájaros» a esta figura, debido a la similitud que presenta con el aleteo de un ave en vuelo.

Músculos ejercitados:
Deltoides (porción posterior) y estabilizadores de las escápulas.

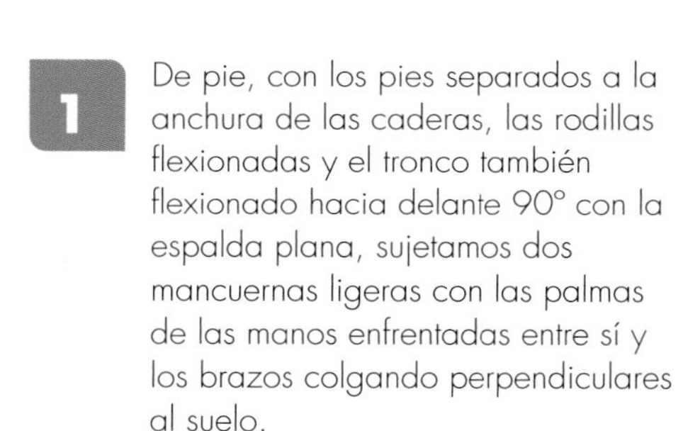

1. De pie, con los pies separados a la anchura de las caderas, las rodillas flexionadas y el tronco también flexionado hacia delante 90° con la espalda plana, sujetamos dos mancuernas ligeras con las palmas de las manos enfrentadas entre sí y los brazos colgando perpendiculares al suelo.

CONSEJO

Para el entrenamiento de hombros con pájaros, siempre hay que tener los codos ligeramente flexionados y los hombros deben permanecer alineados con los brazos, durante la realización de todo el ejercicio. La trayectoria que describen las mancuernas en su recorrido debe ser realizada sin tirones.

2 Desde la posición anterior, iremos elevando los brazos a los lados, con los codos ligeramente flexionados y los pulgares un poco más bajos que los meñiques hasta que tengamos los brazos prácticamente horizontales. Por último, volvemos a la posición inicial, relajando así la tensión sobre los hombros.

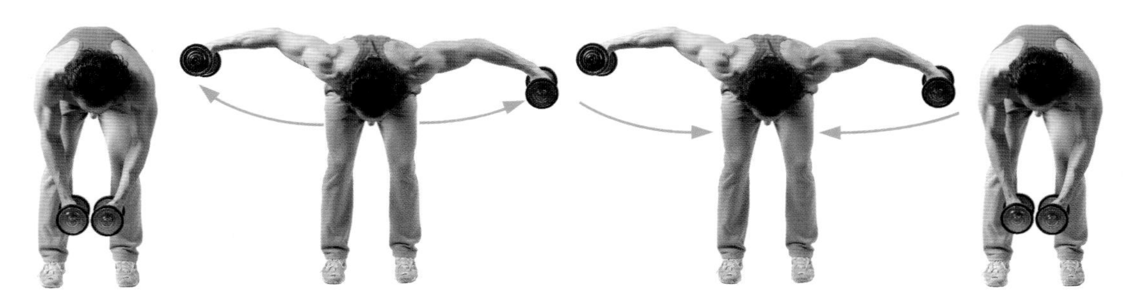

Serie completa de pájaros, para ejercitar los músculos deltoides y estabilizadores de las escápulas.

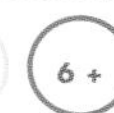

Músculos ejercitados:
Trapecios (fibras altas) y deltoides.

HOMBROS

REMO AL CUELLO

1 De pie, piernas separadas a la anchura de los hombros, sujetando una barra por delante con un agarre bastante cerrado, lo ideal sería a una distancia a la que los pulgares extendidos se tocasen. El agarre puede variarse tanto como queramos, pero a medida que separemos las manos, el trabajo se desplazará más a los deltoides y se solicitará menos en el trapecio.

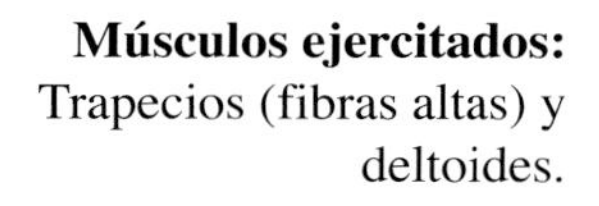

Posición de las manos durante el ejercicio

CONSEJO

En el remo al cuello, una carga excesiva o una descompensación en la misma puede provocar problemas de espalda.

2 Desde la posición inicial, tiraremos de la barra hacia arriba sin separarla del cuerpo y con las rodillas un poco flexionadas y el tronco ligeramente inclinado hacia atrás, para compensar el peso que tenemos delante y quitar así tensión a la espalda baja. Subiremos hasta tocar la barbilla con la barra y apuntando con los codos hacia el techo y por encima de las muñecas durante todo el recorrido. Por último, volvemos con cuidado a la posición inicial.

CONSEJO

La ligera inclinación del tronco es para compensar el peso que tenemos delante y así quitar tensión a la espalda baja.

Serie completa de remo al cuello, para ejercitar los trapecios y deltoides.

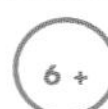

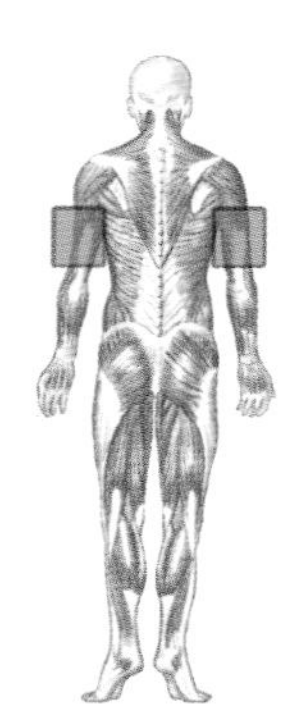

Músculos ejercitados:
Tríceps braquial.

TRÍCEPS

TIRONES EN POLEA CON CUERDA

Este ejercicio es una variante del ejercicio de tirones en polea que hicimos en el primer mes. Puede hacerse con muy distintos agarres, distintos anchos, en pronación o supinación, para variar los ángulos e incidir más en una parte u otra del tríceps; si bien no puede aislarse nunca una de sus tres cabezas, porque tienen un solo tendón en común para su inserción.

CONSEJO

Para realizar el ejercicio de tirones en polea con cuerda, hay que doblar ligeramente las piernas y utilizar el peso que realmente podamos controlar, para evitar lesiones innecesarias en la espalda. Es muy importante mantener una postura adecuada de las extremidades inferiores durante la ejecución del ejercicio si queremos aislar el trabajo sobre el tríceps braquial.

1 De pie frente a la polea y sujetando la cuerda por sus topes con agarre neutro, daremos un pequeño impulso para suspender el peso y estaremos listos en la posición inicial.

2 Tiraremos hacia abajo manteniendo los codos fijos a la misma altura e iremos girando al mismo tiempo las muñecas para acabar en pronación al extender totalmente los brazos, consiguiendo así una mejor contracción de los tríceps.

3 Después de mantener un instante esta posición, volveremos a la posición inicial hasta aproximadamente los 90°.

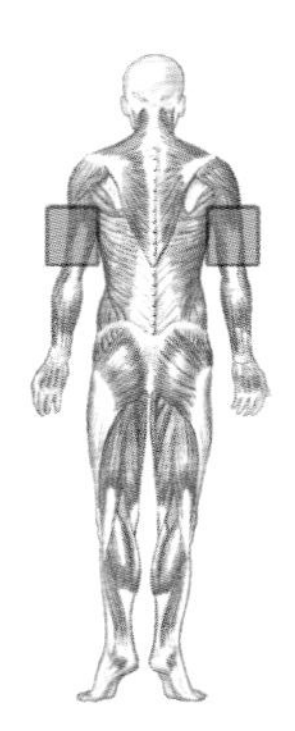

Músculos ejercitados:
Tríceps braquial (y en menor medida pectorales y deltoide anterior).

TRÍCEPS

PRESS CERRADO EN *MULTIPOWER*

Tumbados en un banco plano bajo la barra del *multipower*, que debe quedar justo por debajo del pecho en su posición inicial, y con un agarre medio, de manera que los brazos estén paralelos entre sí cuando se encuentren extendidos.

CONSEJO

Para proteger la espalda al realizar el ejercicio de press cerrado en *multipower* es imprescindible que esté apoyada totalmente, durante la ejecución de todo el ejercicio.

2 Extenderemos los brazos hasta que la articulación del codo esté totalmente extendida.

3 Desde la posición anterior, descenderemos hasta la posición inicial, flexionando los codos sin variar la anterior posición de las manos.

CONSEJO

Por un lado, al descender evitaremos abrir los codos hacia fuera, lo cual implicaría al pectoral en mayor medida; para evitarlo, los codos descenderán próximos a la cintura. Por otro, la barra no debe rebotar en los pectorales.

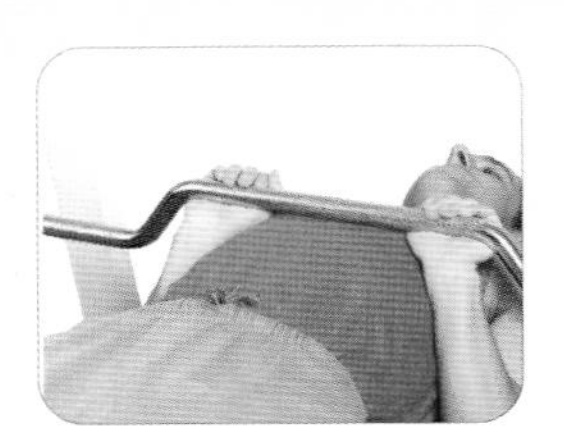

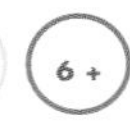

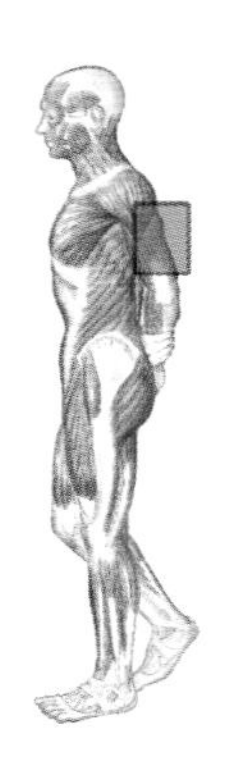

TRÍCEPS

ELEVACIONES A UNA MANO POR DETRÁS DE LA CABEZA

Músculos ejercitados:
Tríceps braquial.

1 Sentados en el extremo de un banco con los pies separados, la espalda recta y sujetando una mancuerna por encima de la cabeza y con el brazo totalmente estirado. La otra mano sujeta el brazo elevado para ayudar a estabilizarlo. Nos hallaremos así en la posición inicial.

CONSEJO

En las elevaciones a una mano por detrás de la cabeza, es necesario que el brazo se coloque de forma vertical, para evitar la tensión en el codo.

2 Descenderemos la mancuerna despacio por detrás de la cabeza, siguiendo la dirección que nos marca el dedo pulgar y manteniendo el codo elevado.

3 Una vez en la nuca, se vuelve a la posición anterior. Repetiremos hasta completar el número de repeticiones y después repetiremos el proceso con el otro brazo alternando las series.

CONSEJO

Nunca hay que utilizar unas mancuernas cuyo peso no podamos controlar, ya que generaría mucha tensión en los músculos de la espalda.

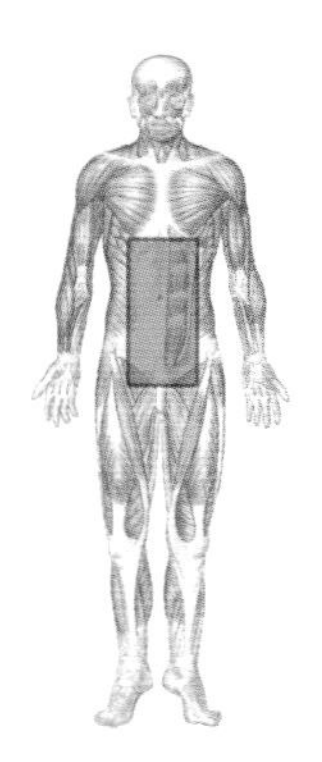

Músculos ejercitados:
Recto abdominal.

ABDOMINALES
ENCOGIMIENTOS EN POLEA CON CUERDA

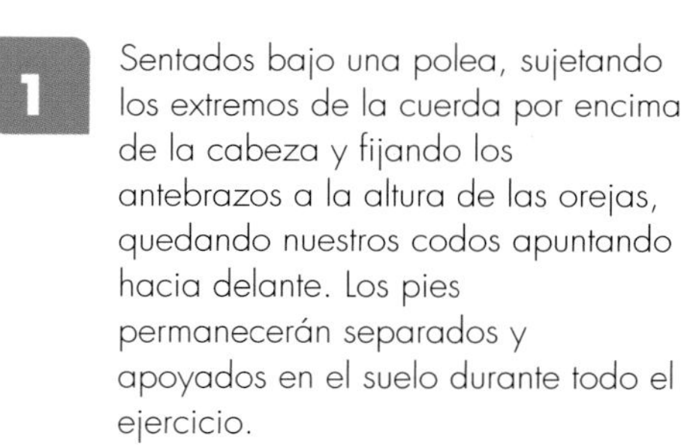

1 Sentados bajo una polea, sujetando los extremos de la cuerda por encima de la cabeza y fijando los antebrazos a la altura de las orejas, quedando nuestros codos apuntando hacia delante. Los pies permanecerán separados y apoyados en el suelo durante todo el ejercicio.

CONSEJO
Para que el entrenamiento de abdominales con encogimientos en polea con cuerda, sea efectivo, hay que estar bien sentado y apoyando la planta del pie durante todo el desarrollo del ejercicio.

2 Desde la posición inicial, vamos encogiendo el tronco hacia delante intentando aproximar el esternón hacia el pubis y manteniendo en todo momento los brazos fijos a la cabeza.

3 Una vez hayamos realizado la contracción completa, mantendremos dicha posición unos segundos; después, volveremos despacio a la posición inicial, y así tantas veces como sea necesario.

El apoyo constante de los brazos, en los laterales de la cabeza, afianza el agarre de la cuerda que ha de ser firme.

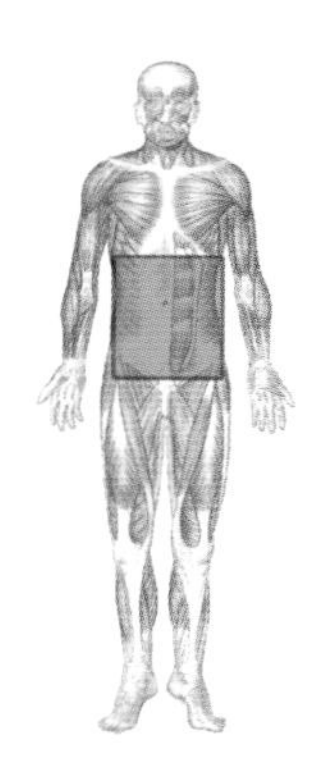

Músculos ejercitados: Abdominales (recto abdominal) y oblicuos (oblicuos interno y externo).

ABDOMINALES
OBLICUO TUMBADO

POSICIÓN DE PARTIDA

1 Este ejercicio se inicia tumbados en el suelo con las rodillas flexionadas y la pierna izquierda doblada sobre la derecha, de tal manera que el tobillo se apoye por encima de la rodilla de la pierna derecha (la cual permanecerá con toda la planta del pie fija en el suelo), y el brazo derecho doblado con la mano detrás de la cabeza.

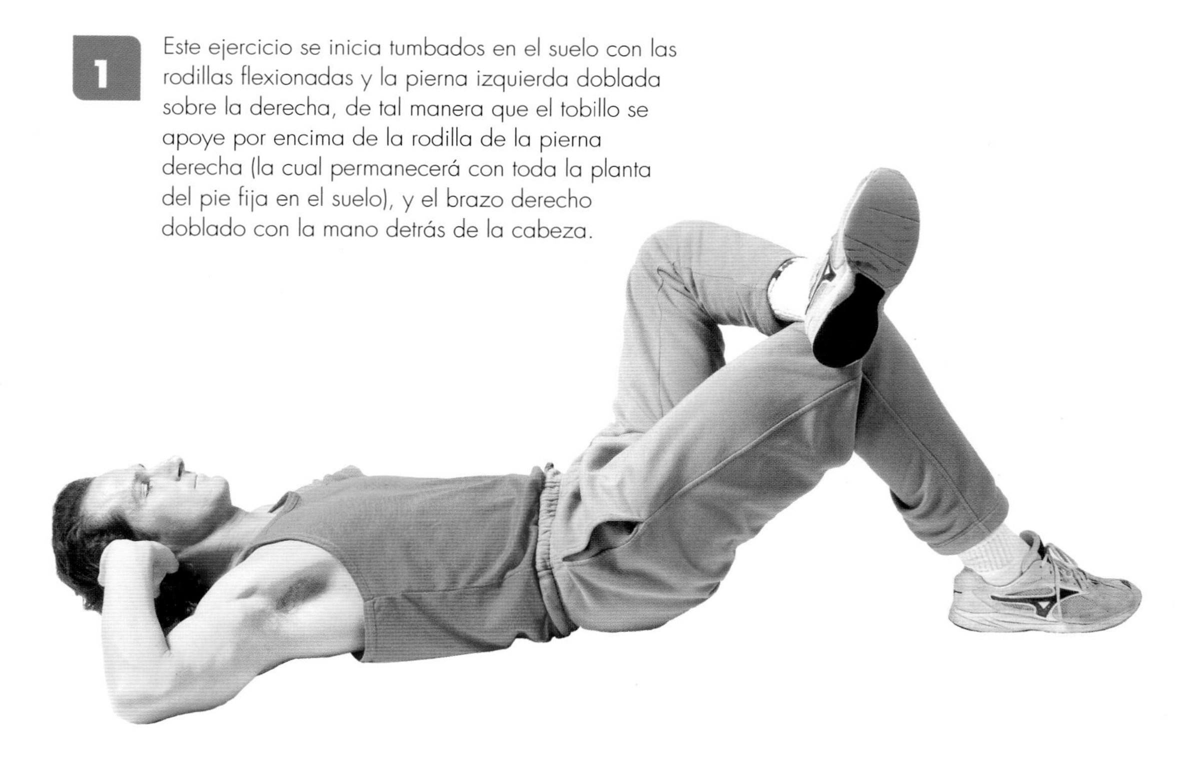

2 Desde esta posición, hacemos un movimiento como si quisiésemos «enrollarnos» sobre nosotros mismos, es decir, dirigiendo el codo del brazo derecho hacia la rodilla izquierda, sintiendo la contracción.
Desde aquí, una vez se haya sentido la contracción un par de segundos, volveremos a la posición inicial, completando de esta manera la serie.
Después haremos lo mismo con el otro lado.

CONSEJO

Los abdominales de oblicuo tumbado requieren un buen nivel de preparación física, ya que además de trabajar sobre los oblicuos involucran al recto abdominal. Este ejercicio está claramente recomendado para la definición abdominal y la eliminación de grasa en la zona.

Serie completa de oblicuo tumbado, para ejercitar los músculos abdominales y oblicuos.

ENTRENAMIENTO

A PARTIR DEL SEXTO MES 6 +

Durante los primeros cinco meses hemos ido viendo ejercicios y diferentes rutinas. Una de las claves en el entrenamiento es la variedad para evitar el estancamiento y mantener la motivación. Como ya vimos en el capítulo dedicado a los sistemas de entrenamiento avanzados, el cuerpo tiene una gran capacidad de adaptación y lo que en un principio puede suponer un estímulo para la mejora muscular, con el tiempo deja de serlo. Es evidente que el proceso de mejora no puede ser ilimitado por pura aritmética, pero llega un momento en que el objetivo simplemente es conservar y mantener la forma y beneficiar la salud, aunque ni siquiera esto resulta fácil.

A partir del sexto mes y para evitar el estancamiento físico, hay que recurrir a la variedad de ejercicios.

Curl *alto en polea, para ejercitar el bíceps braquial.*

A continuación vamos a ver una serie de ejercicios de todos los grupos musculares que iremos intercalando con los que ya conocemos, con el fin de dar variedad al entrenamiento y no estancarnos. Esta variedad también la lograremos cambiando rutinas, probando distintas combinaciones de grupos musculares y alternando mesociclos de hipertrofia, resistencia y fuerza máxima, como vimos en el capítulo correspondiente. En esto también debemos ser imaginativos y probar cosas que se nos ocurran; el método prueba-error es el mejor sistema para progresar, además debemos tener en cuenta que todos somos distintos y no respondemos igual al mismo entrenamiento; lo que funciona para otro a lo mejor no funciona para mí.

Cada persona necesita una cantidad distinta de aeróbicos, la capacidad de recuperación también es diferente, la carga de entrenamiento igualmente dependerá de la edad, del tipo de trabajo que tengamos, etc. En resumen, los años de experiencia nos irán dando la medida y nos permitirán conocernos a nosotros mismos, para poder así diseñar el programa que mejor se adapte a nuestras necesidades.

Esquema a partir del sexto mes

EJEMPLO 1

Rutina A		
	Piernas	Hombros
Rutina B		
	Dorsal	Bíceps
Rutina C		
	Pecho	Tríceps

EJEMPLO 2

Rutina A			
	Pecho	Hombros	Abdominales
Rutina B			
	Pierna	Tríceps	Gemelos
Rutina C			
	Dorsal	Bíceps	

EJEMPLO 3

Rutina A			
	Pecho	Dorsal	
Rutina B			
	Piernas/Gemelos	Abdominales	
Rutina C			
	Hombros	Bíceps	Tríceps

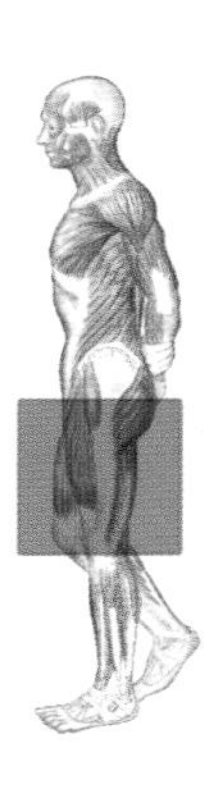

Músculos ejercitados:
Cuadríceps, isquiotibiales y glúteos.

PIERNAS
SPLIT

En este ejercicio podemos alternar las piernas o repetir con la misma pierna hasta terminar la serie.

1 De pie con una barra apoyada sobre los rapecios.

2 Adelantamos una pierna dando un paso largo apoyando firmemente el pie en toda su planta. La pierna adelantada se flexiona profundamente y la atrasada también, llevando la rodilla hacia el suelo pero sin llegar a tocar. La espalda se mantendrá erguida en todo momento. Desde aquí daremos un impulso para volver a la posición inicial.

CONSEJO

En el movimiento de descenso, no conviene sobrepasar la línea de horizontalidad de la pierna con respecto al suelo para proteger las rodillas y la espalda.

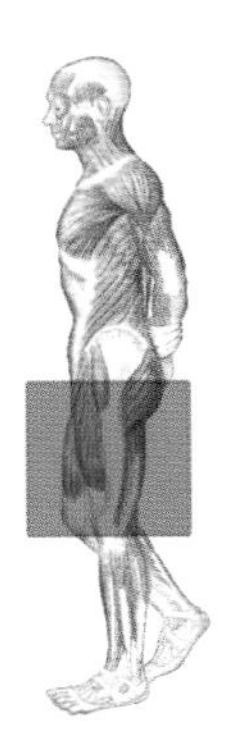

Músculos ejercitados:
Cuadríceps, isquiotibiales y glúteos.

PIERNAS

SENTADILLA FRONTAL

1 Este ejercicio es una variante de la sentadilla normal, pero en este caso la barra se apoya sobre la parte frontal de los hombros, a la altura de las clavículas, mientras los brazos permanecen cruzados y con los codos apuntando al frente. Los pies paralelos y separados a la anchura de las caderas.

2 Desde la posición anterior, vamos flexionando rodillas y caderas al mismo tiempo hasta que los muslos estén paralelos al suelo, y no permitiendo que los talones se despeguen del suelo en ningún momento, a la vez que mantenemos la espalda recta y los codos arriba.

CONSEJO
La sentadilla frontal tiene que ejecutarse siempre mirando al frente y a una velocidad moderada.

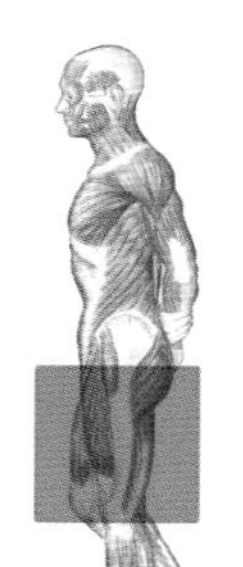

PIERNAS
SENTADILLA CON MÁQUINA

Este ejercicio permite variar la posición de los pies más o menos adelantados para incidir más en los glúteos o en los cuadríceps respectivamente.

Músculos ejercitados:
Cuadríceps, isquiotibiales y glúteos.

1 Para comenzar con este ejercicio, en el aparato de sentadilla-gemelos nos situaremos directamente bajo los soportes con los pies paralelos y no muy separados. Esta será la posición inicial.

Para que la ejecución de la sentadilla con máquina sea eficaz, es imprescindible mantener toda la planta del pie pegada a la base de aparato a lo largo de todo el ejercicio.

2 Con las manos sujetando los agarres de la máquina iremos descendiendo con flexión simultánea de rodillas y caderas, manteniendo la espalda plana y la mirada al frente durante todo el recorrido.

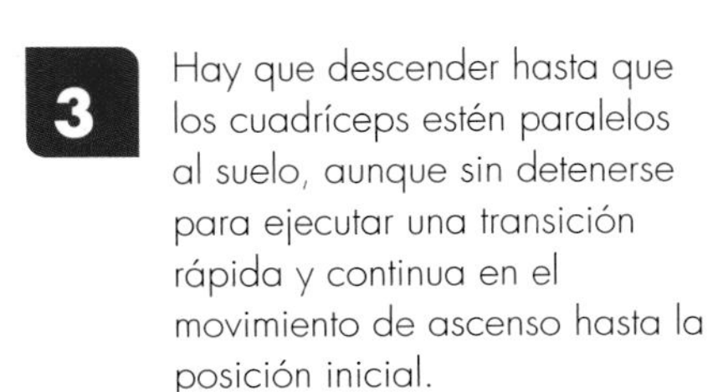

3 Hay que descender hasta que los cuadríceps estén paralelos al suelo, aunque sin detenerse para ejecutar una transición rápida y continua en el movimiento de ascenso hasta la posición inicial.

CONSEJO

Podemos variar el ejercicio no bloqueando las rodillas en la posición primera para mantener la tensión continua.

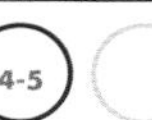

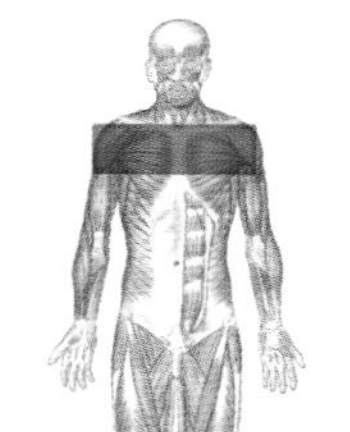

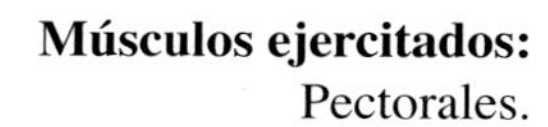

Músculos ejercitados:
Pectorales.

PECHO
PRESS SUPERIOR CON BARRA

Tumbados en el banco inclinado 45° con los pies separados y firmes en el suelo. El agarre ha de ser amplio. Con un empujón o la ayuda de un compañero, sacaremos la barra de su soporte y ya estaremos así en la posición inicial.

CONSEJO
Si no tenemos suficiente flexibilidad en los hombros este ejercicio resultará difícil; en este caso con no sobrepasar la barbilla en el momento de elevar la carga será suficiente.
La dificultad en la ejecución del *press* superior con barra, se encuentra en el momento de levantar el peso, ya que hay que echar los hombros hacia atrás y elevar el peso.

2 Desde la posición anterior, descendemos el peso con los codos, apuntando directamente al suelo, hasta que la barra toque la parte alta del pecho.
Desde la posición anterior, empujaremos hasta la posición inicial, intentando no adelantar los hombros en ningún momento.

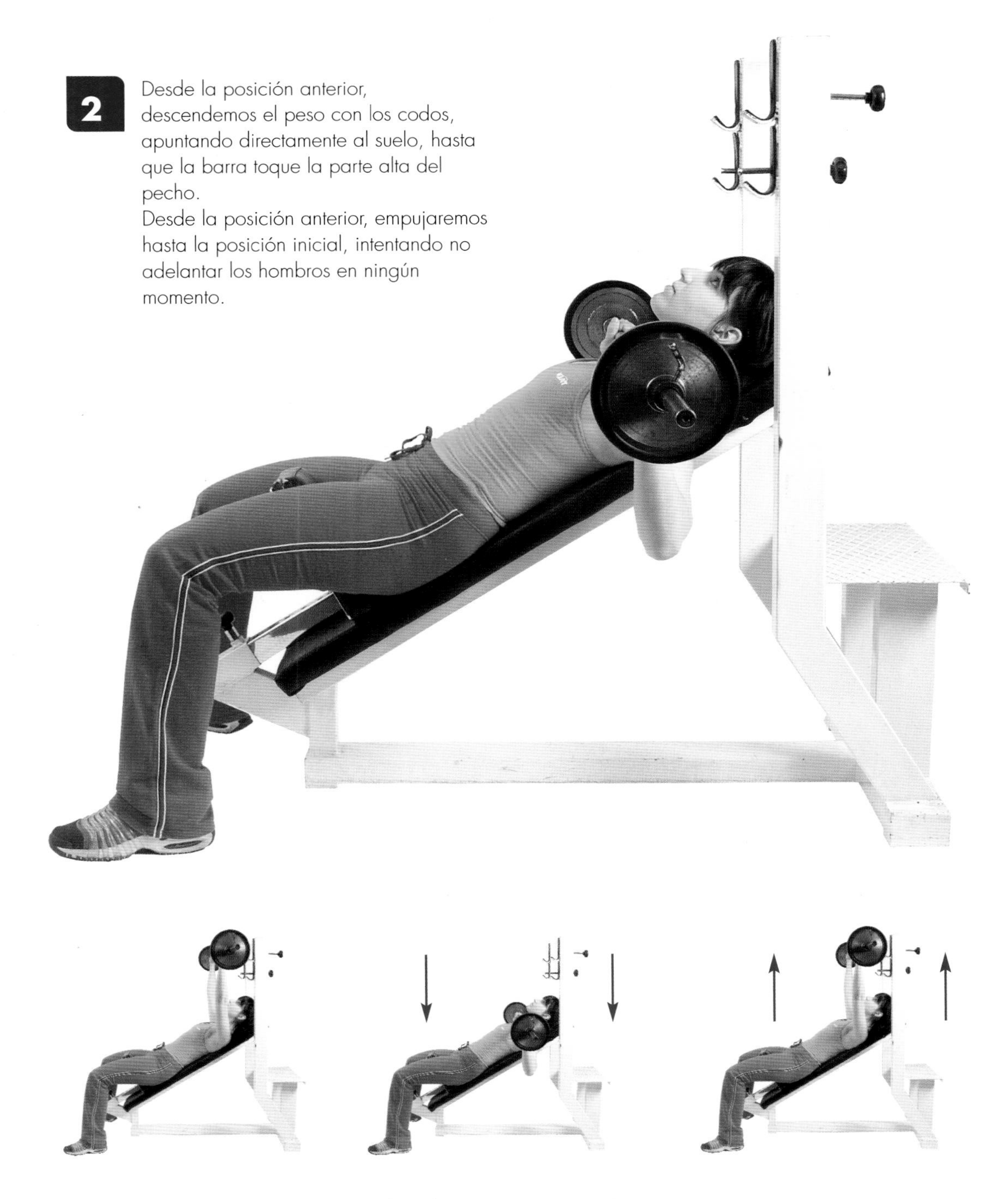

Serie completa de press superior con barra, para ejercitar los músculos pectorales.

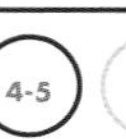

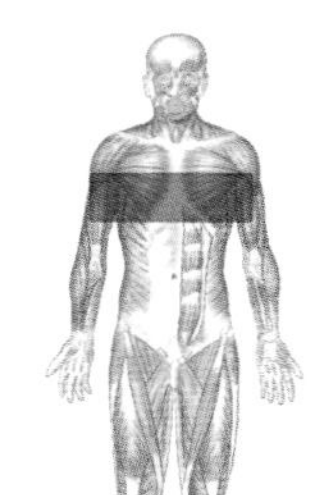

Músculos ejercitados:
Pectorales (parte inferior).

PECHO

CRUCES CON CABLES

1 De pie entre dos poleas altas, con los pies poco separados y las rodillas ligeramente flexionadas. El tronco estará inclinado hacia delante unos 15° o 20° y la cadera un poco atrasada. Sujetaremos los manerales en forma de estribo, uno con cada mano, y con los brazos estirados a los lados en prolongación del cable en la posición de partida.

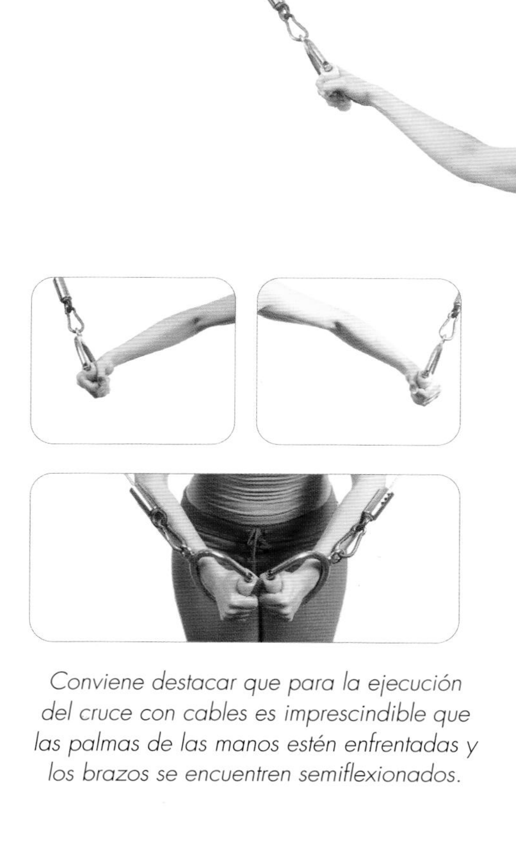

Conviene destacar que para la ejecución del cruce con cables es imprescindible que las palmas de las manos estén enfrentadas y los brazos se encuentren semiflexionados.

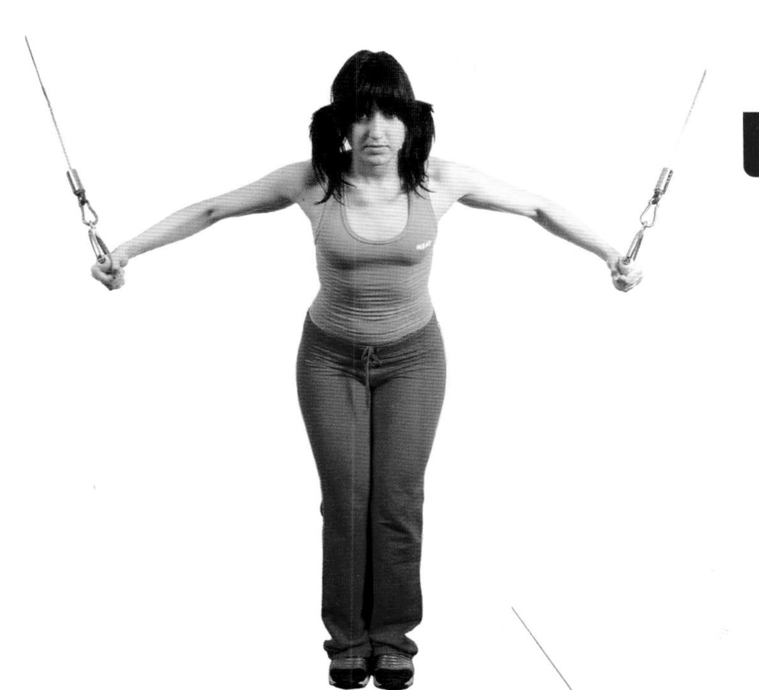

2 Tiraremos simultáneamente con los dos brazos semiflexionados describiendo de esta manera un arco, y las piernas las mantendremos juntas en el desarrollo del ejercicio.

3 Continuamos el ejercicio hasta llegar a juntar las manos unos dos palmos por delante de nuestro cuerpo. Después, volver a la posición inicial.

CONSEJO

Es conveniente equilibrar ambas partes del cuerpo (derecha e izquierda) para que el ejercicio resulte eficaz.

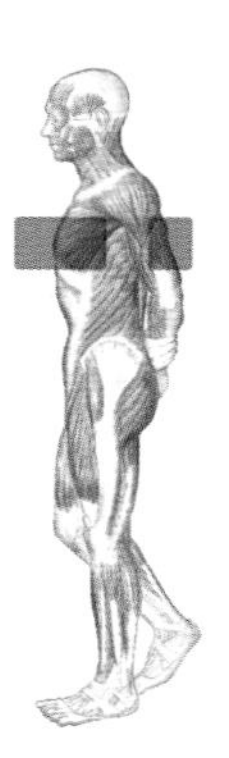

Músculos ejercitados:
Pectorales (parte inferior) y tríceps.

PECHO

FONDOS EN PARALELAS

1 Apoyados en el agarre más externo del aparato de paralelas, con los codos apuntando hacia fuera y los pies juntos y adelantados, de manera que estén justo enfrente de nuestra cara.

Para ejecutar los fondos en paralelas, hay que tener los pies juntos cada vez que se realiza el ejercicio.

2 Para estar equilibrados, la cadera debe quedar un poco atrasada y bajaremos la barbilla.

3 Descendemos todo el cuerpo manteniendo los codos hacia los lados, hasta que los brazos se flexionen unos 90° y, desde aquí, regresaremos a la posición inicial.

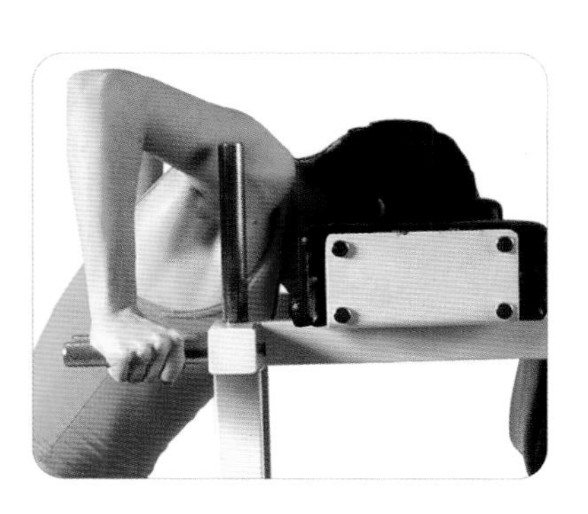

Los fondos en paralelas constituyen un ejercicio para el entrenamiento del pecho, aunque hay que tener precaución en el descenso para proteger la articulación del hombro.

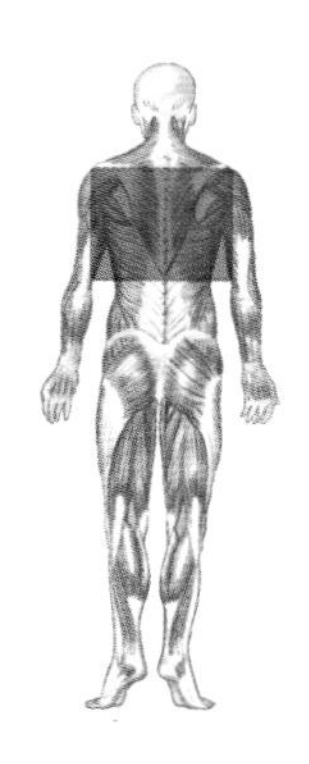

Músculos ejercitados:
Dorsales (dorsal ancho, romboide, redondos y teres, mayor y menor), zonas bajas y media del trapecio.

DORSAL

REMO EN PUNTA

1 De pie, en la plataforma del aparato e inclinados hacia delante unos 60°. Tomaremos cualquier agarre de los que dispone la máquina. Con el peso suspendido y la espalda alineada, estaremos listos para empezar. Nuestro cuerpo formará un ángulo de 90° en la posición de partida.

CONSEJO
Para que el entrenamiento de remo en punta sea eficaz, los pies deben permanecer apoyados totalmente en la plataforma del aparato, durante la ejecución del ejercicio.

2 Tiraremos de los codos hacia arriba, manteniendo las caderas bien apretadas y la espalda lo más recta posible.

CONSEJO
Los ejercicios de remo están diseñados para el desarrollo de los músculos dorsales. Para evitar la monotonía se puede experimentar con la amplitud de agarre.

3 Hay que tirar hasta llegar a que la barra esté a la altura del ombligo. Tras mantener un momento la posición adquirida, descenderemos otra vez a la posición inicial.

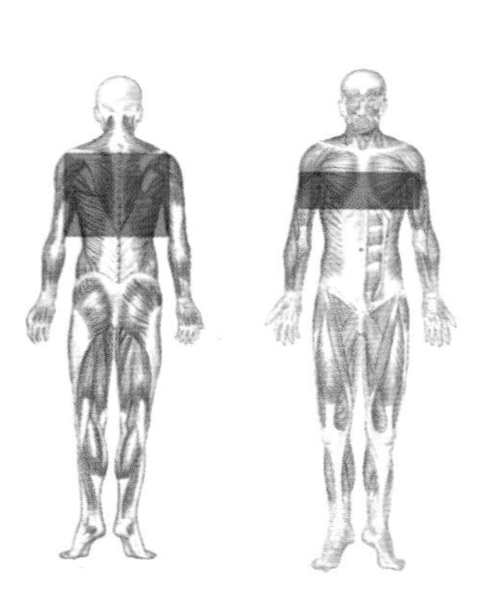

Músculos ejercitados:
En este ejercicio el pectoral y el dorsal se reparten el trabajo casi a partes iguales, por eso puede encontrarse en rutinas de pecho o espalda.

DORSAL
PULLOWER

1 Tumbados en un banco plano con los pies separados y apoyados en el suelo o en el borde del banco, sujetaremos una mancuerna con ambas manos, una sobre la otra, por la cara interior de uno de sus discos, manteniendo los brazos perpendiculares al suelo y ligeramente flexionados.

2 Descenderemos poco a poco la mancuerna intentando llegar más abajo que la cabeza, dependiendo de nuestra flexibilidad en la articulación, y manteniendo los codos semiflexionados. Desde aquí regresamos a la posición inicial.

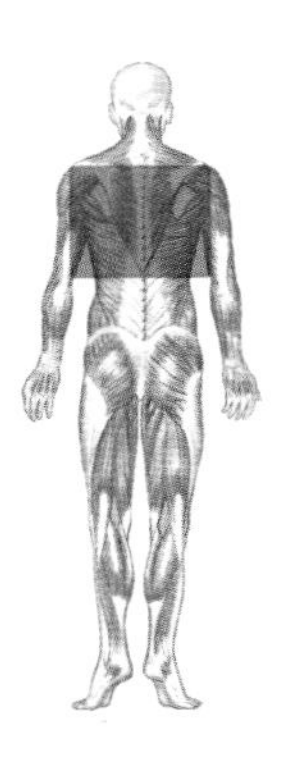

Músculos ejercitados:
Dorsal ancho, zona media del trapecio, teres y romboide.

DORSAL
REMO CON BARRA

1 De pie, con las manos separadas a la anchura de las caderas y las rodillas flexionadas, nos inclinaremos hacia delante hasta que el tronco quede casi paralelo al suelo, con la espalda alineada y teniendo especial cuidado en mantener la curvatura lumbar (lordosis). En esta posición, sujetaremos la barra con un agarre un poco más abierto que la anchura de los hombros.

2 Tiraremos de la barra hacia el abdomen manteniendo la espalda en la misma posición y luego descenderemos reteniendo hasta la posición anterior.

CONSEJO
El agarre puede hacerse más o menos abierto en cada entrenamiento, para así variar los ángulos de trabajo.

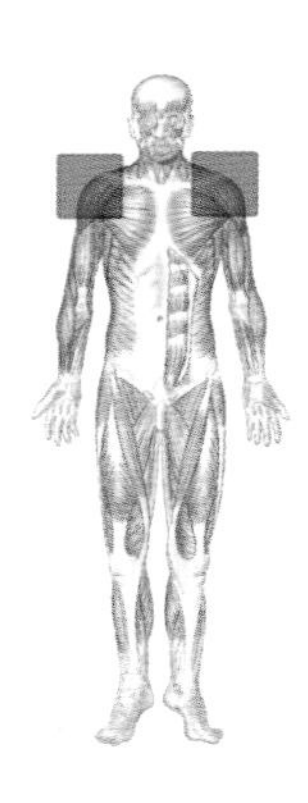

HOMBROS
PRESS CON MANCUERNA A UNA MANO

Músculos ejercitados:
Deltoides medio
y anterior.

1 De pie, con las rodillas semiflexionadas para amortiguar y quitar tensión a la espalda baja, sujetaremos una mancuerna con una mano a la altura del hombro con la palma dirigida al frente, mientras la otra mano sujeta fuertemente cualquier aparato o se apoya sobre nuestra cintura, para de esa manera dar estabilidad a la cintura escapular.

2 Empujaremos hacia arriba hasta la extensión completa del brazo. La mancuerna tiene que quedar justo por encima de nuestra cabeza, manteniendo los hombros alineados. Repetiremos las veces que sean necesarias e iremos alternando los brazos.

CONSEJO

Hay que tener en cuenta que no se debe producir ningún tirón en los momentos de flexión y estiramiento del brazo, ya que se podrían producir lesiones.

La clave del press con mancuerna consiste en cargar con el peso que podamos controlar, ya que un exceso del mismo puede provocar descompensaciones.

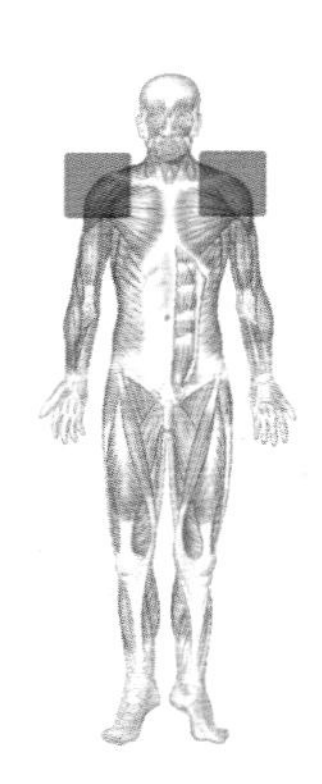

Músculos ejercitados:
Deltoides (porción anterior).

HOMBROS
ELEVACIONES FRONTALES CON BARRA

1 De pie con las piernas separadas a la anchura de los hombros y las rodillas un poco flexionadas, sujetaremos una barra con un agarre prono y con brazos paralelos. La barra en su posición inicial descansará sobre la parte alta de los muslos.

CONSEJO

Conviene recordar, que el número de repeticiones de la rutina variará dependiendo de si deseamos definir el músculo o por el contrario nuestro objetivo es marcarlo. A mayor peso y menor número de repeticiones masa muscular más marcada.

1 Desde esa posición inicial explicada, elevaremos los brazos, con los codos ligeramente flexionados, hasta llegar a alcanzar una altura en la que la barra esté en línea con nuestros ojos, y desde aquí la haremos bajar hasta la posición inicial.

CONSEJO

La expulsión del aire en el momento de la bajada del peso, contribuye a mantener la espalda erguida y previene posiciones perjudiciales para la musculatura dorsal.

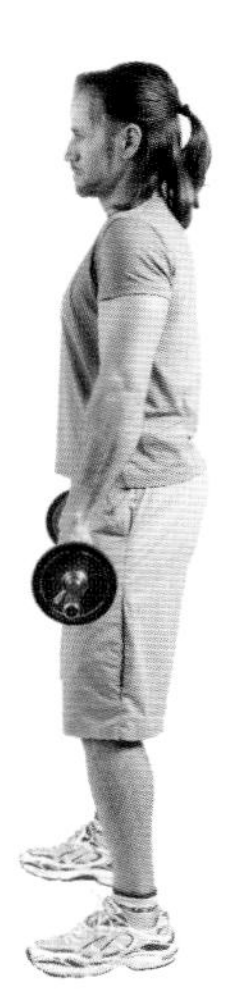

Serie completa de elevaciones frontales con barra, para ejercitar el músculo deltoides.

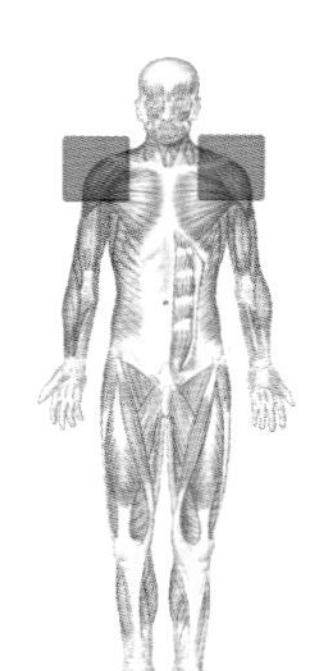

Músculos ejercitados:
Trapecio (fibras superiores).

HOMBROS

ENCOGIMIENTOS CON MANCUERNAS

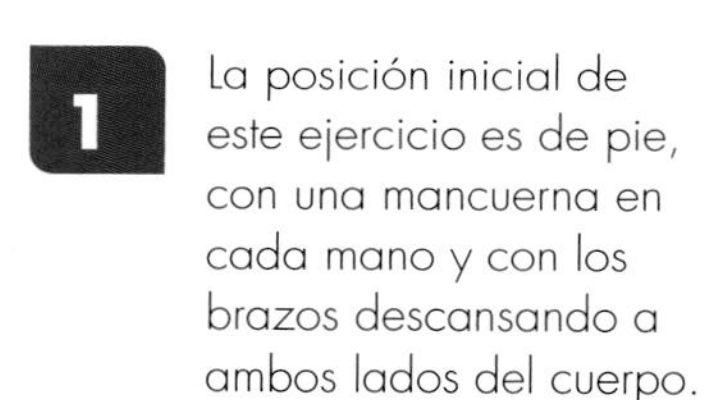

1 La posición inicial de este ejercicio es de pie, con una mancuerna en cada mano y con los brazos descansando a ambos lados del cuerpo.

CONSEJO

Para que el entrenamiento de hombros con encogimientos sea efectivo, conviene elevar el pecho y desplazar ligeramente los hombros hacia atrás, trabajando ambos lados del cuerpo de manera uniforme.

2 A partir de esa posición inicial descrita, elevaremos los hombros hacia arriba, como si quisiéramos llegar con ellos hasta las orejas, y mantendremos la máxima contracción un instante antes de volver abajo.

CONSEJO

Una variante de este ejercicio consiste en describir un círculo con los hombros con la máxima amplitud posible. Cada serie puede hacerse en un sentido. Este ejercicio también podría realizarse con una barra sin flexionar los codos al elevar la carga.

Serie completa de encogimientos con mancuernas, para ejercitar el músculo trapecio.

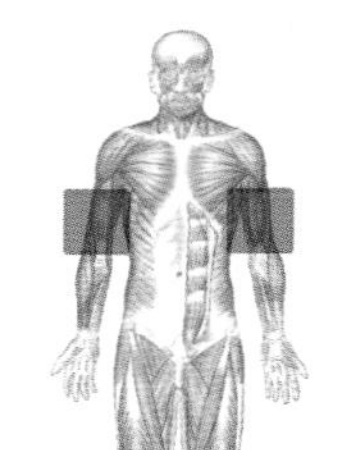

Músculos ejercitados:
Bíceps braquial
(zona baja).

BÍCEPS

CURL EN BANCO SCOTT A UNA MANO

1 Sentados en el banco Scott, con una mancuerna en una mano y sujetando con la otra el borde del banco para dar estabilidad. El brazo que sujeta la mancuerna estará apoyado por la parte del tríceps en la mitad de su superficie.

CONSEJO

La parte superior del brazo tiene que estar pegada en todo momento al banco. También, conviene tener en cuenta que el brazo permanecerá ligeramente flexionado en su punto más alto.

2 Flexionamos el codo manteniendo siempre el agarre supino hasta contraer el bíceps del todo y tras una pausa, descenderemos el peso hasta la posición inicial, así hasta terminar.

3 Luego, repetiremos el ejercicio con el otro brazo para completar la serie. Durante la ejecución de la serie el talón se mantendrá apoyado en el suelo y la punta del pie sobre el soporte del banco. Para dar variedad al entrenamiento, este ejercicio se puede realizar con dos mancuernas.

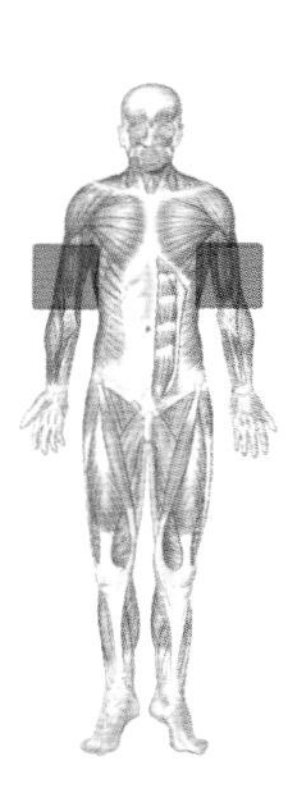

Músculos ejercitados: Bíceps braquial (parte inferior).

BÍCEPS
CURL ALTO EN POLEA

DETALLE DEL AGARRE SUPINO

1 Sentados frente a una polea alta con los brazos estirados hacia arriba y con un agarre supino, cogemos un maneral que nos permita una separación igual a la anchura de los hombros, y nos situamos así en la posición inicial.

2 Tiraremos con fuerza ahora de la barra hacia nosotros, manteniendo los codos elevados y fijos en su posición.

CONSEJO

Es importante mantener fijos los codos en su posición, ya que un desplazamiento del mismo pondría en acción otros músculos.

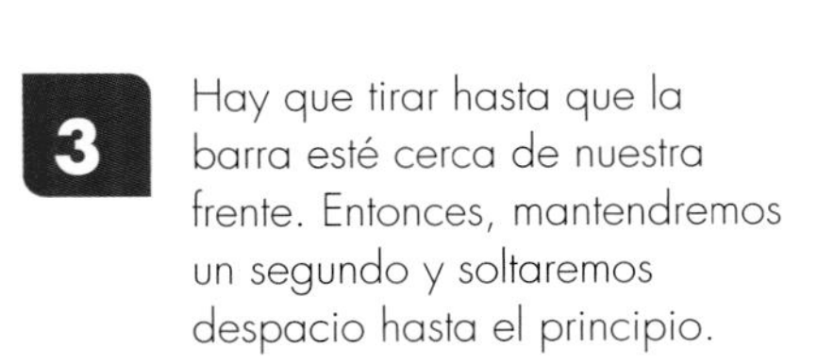

3 Hay que tirar hasta que la barra esté cerca de nuestra frente. Entonces, mantendremos un segundo y soltaremos despacio hasta el principio.

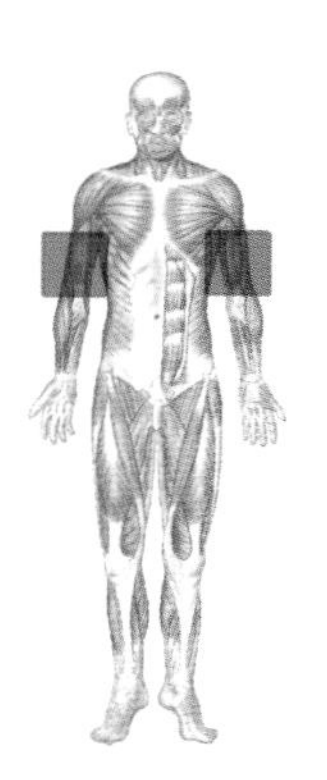

BÍCEPS
CURL EN POLEA BAJA A UNA MANO

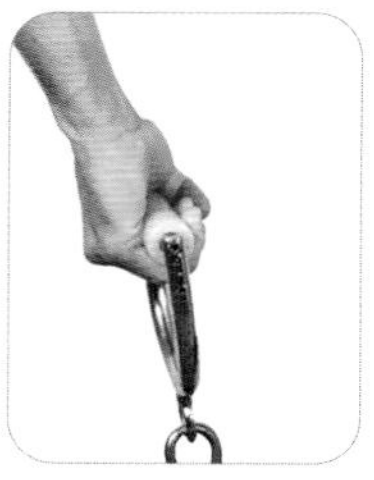
AGARRE NEUTRO DEL MANERAL

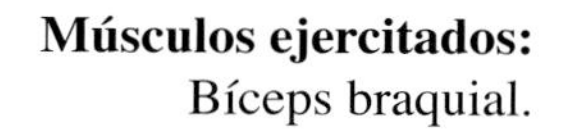
Músculos ejercitados:
Bíceps braquial.

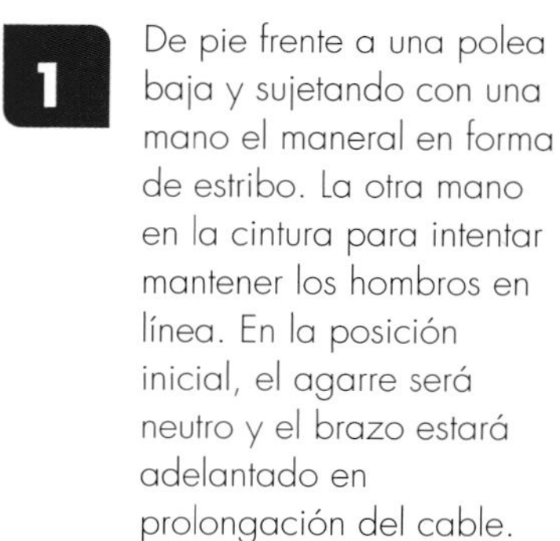
1 De pie frente a una polea baja y sujetando con una mano el maneral en forma de estribo. La otra mano en la cintura para intentar mantener los hombros en línea. En la posición inicial, el agarre será neutro y el brazo estará adelantado en prolongación del cable.

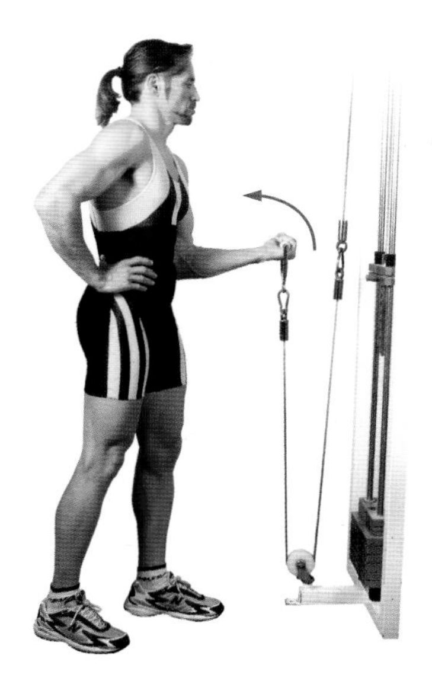

2 Flexionaremos el brazo a la vez que vamos girando la mano hacia arriba, así conseguimos que el bíceps, que además de flexor es supinador, se contraiga al máximo.

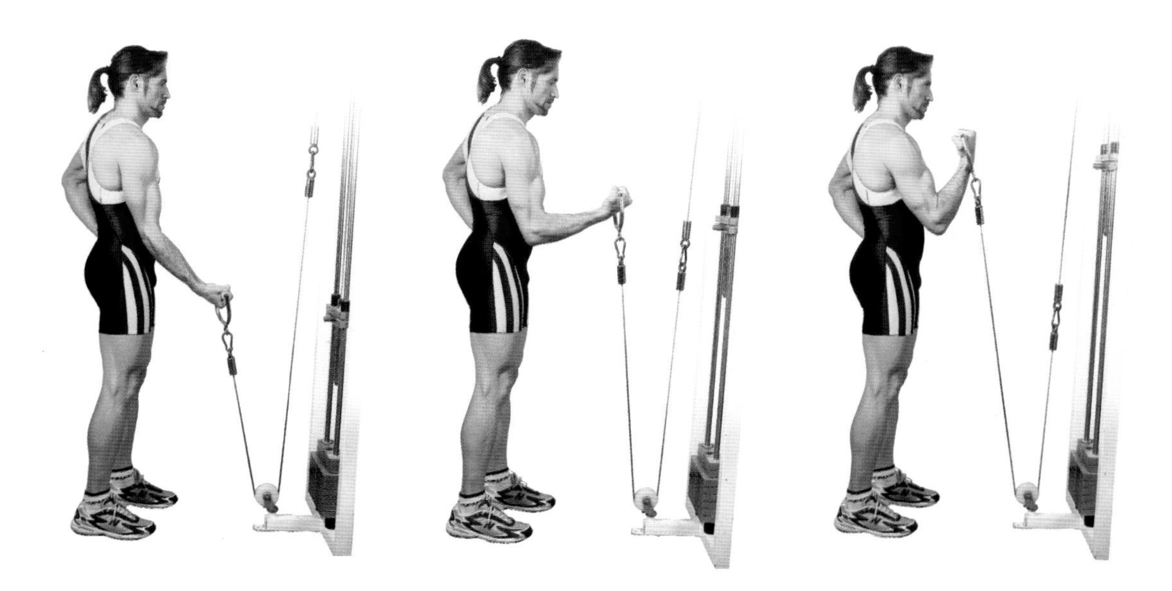

3 Intentaremos mantener el codo fijo durante todo el recorrido e iremos alternando las series con cada brazo.

+ 6

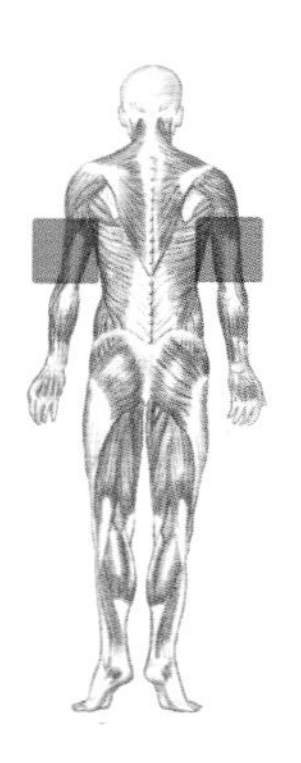

Músculos ejercitados:
Tríceps.

TRÍCEPS
FRANCÉS CON MANCUERNAS

1 Tumbados en un banco plano, con los pies firmes en el suelo o apoyados los talones en el borde del banco. Sujetamos bien dos mancuernas con los brazos paralelos y verticales al suelo y con agarre prono, como si se tratase de una barra.

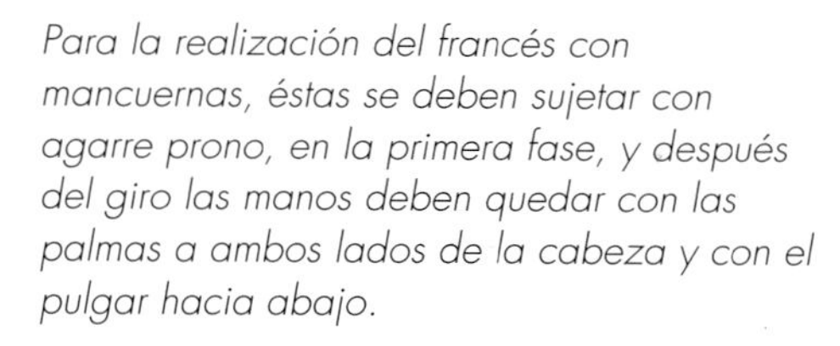

Para la realización del francés con mancuernas, éstas se deben sujetar con agarre prono, en la primera fase, y después del giro las manos deben quedar con las palmas a ambos lados de la cabeza y con el pulgar hacia abajo.

2 Descenderemos el peso lentamente y manteniendo los codos equidistantes, rotando las mancuernas al mismo tiempo hasta que apuntemos con los pulgares hacia el suelo. Bajaremos hasta que tengamos las mancuernas a ambos lados de la cabeza, consiguiendo así más recorrido que en el mismo ejercicio hecho con barra. Mantendremos unos segundos y volveremos a la posición inicial.

Serie completa de francés con mancuernas, para ejercitar los tríceps.

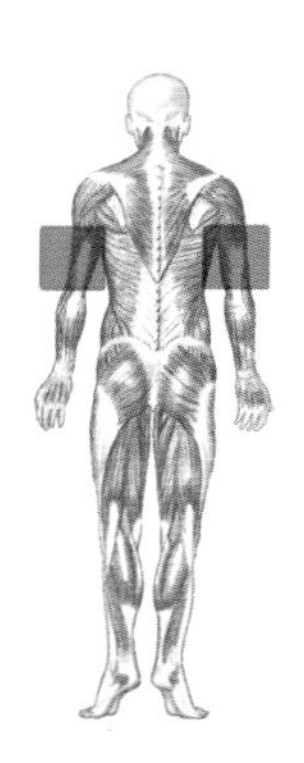

Músculos ejercitados:
Tríceps.

TRÍCEPS

INVERTIDO CON POLEA

Frente a la polea, sujetando un maneral largo en supinación con un agarre igual a la anchura de los hombros y con la cadera ligeramente retrasada con respecto a los hombros. Con un tirón, dejamos el peso suspendido en la posición inicial.

CONSEJO

Durante la ejecución del ejercicio invertido en polea, hay que mantener los pies juntos y quietos, porque el peso tiene que ser controlado por los brazos y no por el cuerpo.

2 Tiramos hacia abajo, manteniendo la posición de los codos, ligeramente hacia el frente.

3 Hay que tirar hasta que los brazos queden perpendiculares al suelo y los tríceps contraídos. Finalmente, volvemos a la posición inicial.

CONSEJO

En este ejercicio, por el agarre supino, no podremos mover mucho peso, por este motivo es importante hacerlo despacio y manteniendo la posición final para sentir bien la contracción.

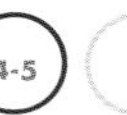

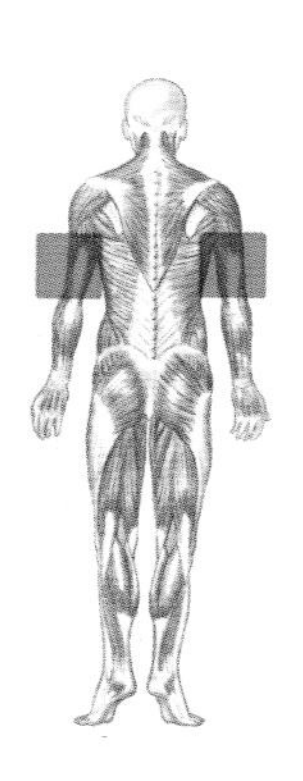

Músculos ejercitados:
Tríceps (sobre todo la cabeza larga por ser retropulsora del húmero).

TRÍCEPS
PATADAS

1 Se inicia este ejercicio de pie, con las rodillas un poco flexionadas e inclinados hacia delante unos 90°, con una mano apoyada por encima de la rodilla o sobre el banco y sujetando una mancuerna ligera con la otra, con el brazo horizontal flexionado por el codo.

En todo el recorrido hay que mantener el pulgar hacia abajo.

2 Desde la posición anterior tiramos de la mancuerna hacia arriba hasta la extensión completa del brazo, que debe quedar totalmente horizontal. Iremos alternando una serie con cada brazo hasta completar todas.

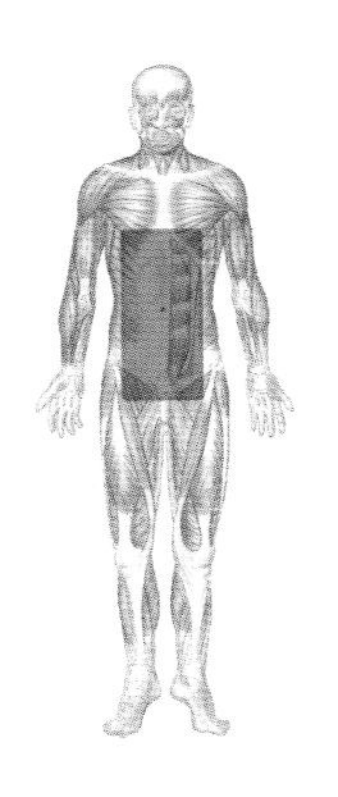

Músculos ejercitados:
Recto abdominal y oblicuos.

ABDOMINALES
ENCOGIMIENTOS INVERTIDOS

1 Tumbados en un banco plano, con las rodillas flexionadas en el aire y el muslo perpendicular al suelo. Nos sujetamos con las manos al banco por encima de la cabeza y ya estamos en la posición de partida.

90°

El punto de partida del ejercicio es el momento en que el muslo forma un ángulo de 90° con el banco.

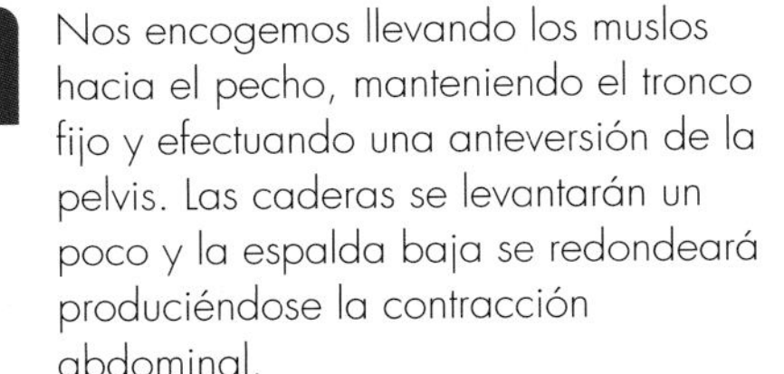

2 Nos encogemos llevando los muslos hacia el pecho, manteniendo el tronco fijo y efectuando una anteversión de la pelvis. Las caderas se levantarán un poco y la espalda baja se redondeará produciéndose la contracción abdominal.

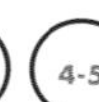

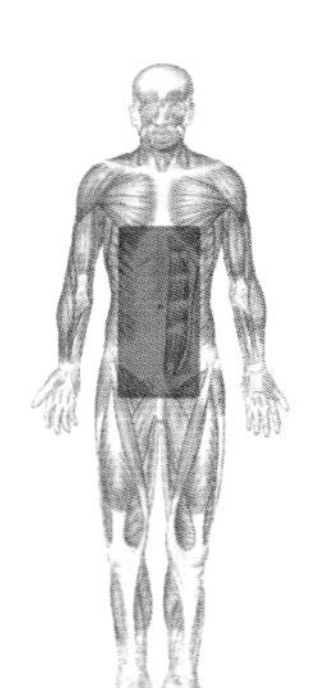

Músculos ejercitados:
Recto abdominal y flexores de la cadera.

ABDOMINALES
ELEVACIONES DE RODILLAS EN PARALELAS

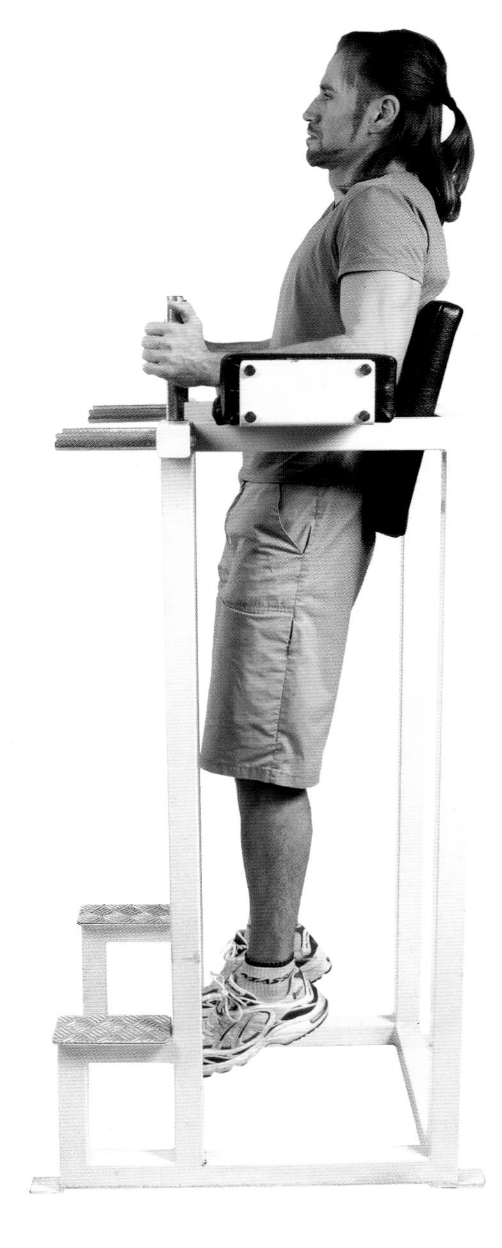

1 En el aparato de paralelas, con los codos y antebrazos apoyados en los soportes y la espalda plana contra el respaldo, nos quedamos en el aire en la posición inicial.

CONSEJO
Para que las elevaciones de rodilla en paralelas sean efectivas en el entrenamiento de abdominales, las rodillas nunca deben permanecer por debajo de la horizontal.

2 Elevamos las piernas, dejando que las rodillas se flexionen e intentamos llevarlas hacia el pecho, rotando a la vez las caderas hacia arriba. Si al mismo tiempo adelantamos el pecho hacia delante, la contracción es más completa.

CONSEJO

Si en este ejercicio no rotamos la pelvis hacia arriba también trabajamos abdominales, pero de forma isométrica, y en cualquier caso parte del trabajo lo hacen los flexores de la cadera. El motivo de flexionar las rodillas es precisamente el de no sobrecargar los flexores.

+ 6

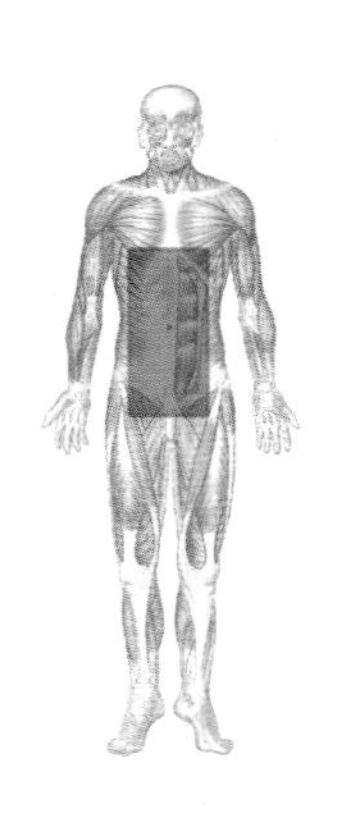

Músculos ejercitados:
Oblicuos (interno y externo) y abdominales.

ABDOMINALES
OBLICUOS TUMBADOS

1 Tumbados lateralmente en la tabla de abdominales o en el suelo con las rodillas semiflexionadas, las piernas cruzadas una sobre la otra y los brazos colocados cruzados en el pecho, o bien una mano detrás de la cabeza y el otro brazo cruzando en el abdomen.

2 Nos encogemos lateralmente intentando acortar la distancia entre el hombro y la cadera de ese lado. El recorrido en esta posición es de apenas 15-20°, pero es suficiente para que el ejercicio sea efectivo.

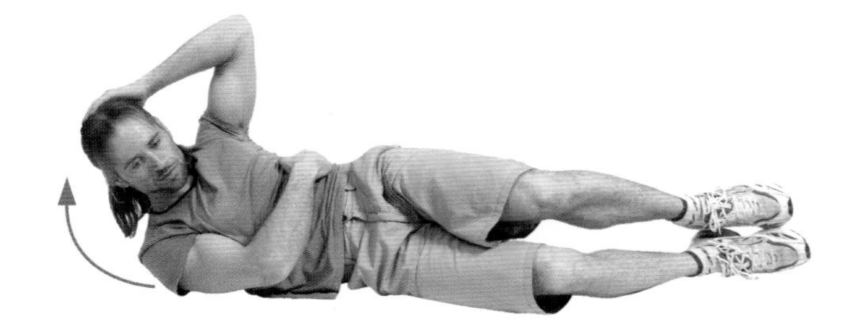

3 Aguantamos unos segundos y volvemos a la posición de partida, completando de esta manera una serie.

CONSEJO

Recordemos que para que este ejercicio resulte eficaz es necesario alternar las series con cada lado del cuerpo. Recuerda que se trata sólo de elevar la cabeza y el hombro.

LA NUTRICIÓN

Y LOS SUPLEMENTOS

Como cualquier otra máquina, el cuerpo necesita energía para funcionar. Nosotros la obtenemos de lo que comemos, básicamente de los carbohidratos, proteínas y grasas. Es curioso, pero de estos tres elementos más el agua se componen todos los alimentos que podamos imaginar y además su composición química es prácticamente la misma, es más, carbohidratos y grasas están compuestos de lo mismo: oxígeno, carbono e hidrógeno, y las proteínas, además de estos tres elementos, se componen de nitrógeno. Con cuatro elementos se puede formar cualquier alimento, la diferencia está en los distintos enlaces y estructuras moleculares, aparte cada alimento tiene una composición particular en cuanto a nutrientes que son las vitaminas y los minerales.

En cuanto a las cantidades y teniendo en cuenta que cada gramo de proteínas y de carbohidratos nos proporcionan cuatro calorías y cada gramo de grasa nueve, la mayoría de los estudios nos aconsejan que del total calórico diario el 55-65 por ciento debe provenir de los carbohidratos, el 10-15 por ciento de las proteínas y el 25-30 por ciento de las grasas, aunque en deportistas, dependiendo de la especialidad, estos porcentajes varían.

En los deportes de resistencia aumenta la necesidad de carbohidratos y en los de fuerza, como es el caso de la musculación, necesitamos más proteínas. La cantidad recomendada para la población en general suele ser de 0,8-1 gramo por kilo de peso y día, pero para los deportistas de fuerza se suelen aceptar entre 1,5-2 gramos.

Los zumos naturales son el complemento ideal a una dieta sana y equilibrada.

En cualquier caso, desde estas páginas no vamos a abogar por ninguna dieta en concreto, ya que creemos que esa es una responsabilidad que sólo debe asumir un médico, ni vamos a recomendar pesar los alimentos, porque creemos que ese extremo sólo es útil para deportes en los que la nutrición debe ser muy precisa como el culturismo, pero sí vamos a dar algunos consejos:

- La tradición culinaria es sabia y los platos típicos de la dieta mediterránea que acumulan muchos años de cultura gastronómica, suelen estar muy bien balanceados en cuanto a composición de nutrientes.

- Desconfiad de las dietas novedosas y extrañas que veáis en las revistas de divulgación no especializadas. En todas se dan carencias importantes de algún nutriente y otras, como decía el profesor Grande Covian, no tienen ningún fundamento lógico.

Por ejemplo, en la dieta disociada que consiste en separar a la hora de comer los carbohidratos y las proteínas, basándose en que se digieren en medios diferentes, básico y ácido respectivamente, si bien esto es cierto, la realidad es que en nuestro sistema digestivo existen enzimas altamente especializados y que no interfieren unos con otros. Es una dieta que funciona exclusivamente porque al comer sólo un tipo de alimento, probablemente comamos menos cantidad y además la capacidad de asimilación de un solo nutriente cada vez es limitada, pero lo que es seguro es que tendremos carencias con este tipo de dieta.

La ensalada fresca es una fuente de vitaminas, minerales y agua.

Otras dietas bajas en carbohidratos y ricas en proteínas, como la de Atkins, nos provocará letargo por la falta del combustible principal, los carbohidratos, y aumentará nuestro colesterol y el ácido úrico, además de sobrecargar los riñones.

Las dietas sin nada de grasa tampoco son buenas, ya que las grasas son importantes en la formación de hormonas, forman parte de la membrana celular y contienen las vitaminas liposolubles A, D, E y K. Las mejores son las de los pescados y los vegetales que son insaturadas.

Pero el problema en general de las dietas es que no son mantenibles en el tiempo por el esfuerzo psicológico que supone seguirlas; lo que sí se puede mantener son los hábitos y esa es quizá la clave. Unos hábitos saludables, con cinco comidas pequeñas al día en lugar de tres grandes, que contengan más o menos las proporciones correctas de cada nutriente y con la mayor variedad posible. Aquí se hace buena la frase «un poco de todo y mucho de nada» o la afirmación del doctor Peraita, que decía que hay que comer todo lo que se pueda asimilar y no todo lo que quepa en el estómago.

El sentido común nos dice cuándo es suficiente y a partir de qué punto es comer por comer. Con el hábito de comer más veces pero menos cantidad conseguimos algo importante, que es reducir la capacidad de nuestro estómago y con ello nos evitaremos las grandes comilonas y a la larga nuestra salud se verá recompensada.

Para los deportistas que practican musculación puede ser útil el uso de algunos suplementos a la hora de completar el número de comidas necesario:

- Los batidos: Uno de los suplementos más habituales son los batidos de proteínas o de carbohidratos. Los hay de distintos porcentajes según las necesidades.Para aquellos con una sección media definida y que tienen problemas a la hora de ganar peso son recomendables los carbohidratos, normalmente a base de maltodextrinas y de alto contenido calórico. Si por el contrario tenemos la zona medio tapada y queremos ganar músculos, nos interesa un batido de proteínas de alto porcentaje. Las de suero suelen ser mejores.

- La glutamina: Es el aminoácido más abundante en el músculo, por eso puede ser útil tomarlo.
- Los aminoácidos ramificados (BCAA'S): Los aminoácidos ramificados son tres:

  1. La isoleucina.
  2. La leucina.
  3. La valina.

  Todos ellos son utilizados por nuestros músculos cuando hay que echar una mano a la glucosa para obtener energía, así que tomados antes del entrenamiento pueden evitar que los saquemos del músculo, y tomados después facilitan su reposición.
- Los lipotrópicos: Algunos como la L-carnitina han demostrado ser efectivos al favorecer el uso de las grasas ahorrando glucógeno.
- Los multivitamínicos: A no ser que estemos a dieta no parecen ser necesarios, ya que con una alimentación variada y a partir de 2.000 calorías diarias están cubiertas las necesidades de vitaminas y minerales de cualquier persona.
- La creatina: Es uno de los suplementos más de moda. Es un derivado de aminoácidos que aumenta la reserva de fosfocreatina del músculo, el precursor inmediato del ATP que es la sustancia que en última instancia libera energía. La creatina parece ser eficaz en esfuerzos relativamente cortos, de hasta un minuto de duración.

BIBLIOGRAFÍA

Bowers, Richard W. y Edward L., *Fisiología del deporte,* Medica Panamericana.
Calais-Germain, B., *Anatomía para el movimiento,* Ed. La liebre de marzo.
Grande Covian, F., *Nutrición y salud,* Ed. Bolsitemas.
Santonja, R., *Culturismo básico,* Ed. Ayuso.
Weineck, J., *La anatomía deportiva,* Ed. Paidotribo.